-한국세계윤리사관대학교의 갑을 이야기-

李謁智(이알지) 지음

차 례

이 소설에 등장하는 모든 기관과 사건 등은
작가의 상상에 의한 허구입니다.
혹시라도 주위에서 보거나 들은 일과 비슷한 부분이 있다면
우연의 일치입니다.

작가의 감정 변화에 의해
편집이 거친 부분이 있습니다.
독자님들의 양해 부탁드립니다.

2023년 한국 사회의 갑을 문화는 상당히 적대적으로 표출됩니다. 사회적으로 갑과 을은 주체와 객체가 명확합니다. 갑과 을의 관계가 공생의 과정으로 진행되어야 하는데, 공멸의 과정으로 진행되기도 합니다. 이렇게 되면 악의적인 갑이 표면 위로 떠올라 사회적 이슈가 되기도 합니다.

남녀 문화도 마찬가지입니다. 남녀 문화도 상당히 적대적으로 표출되고 있습니다. 남성의 위치가 갑으로 여겨지고 여성의 위치가 을로 여겨지는게 보통의 경우입니다.

남녀 관계는 상대적인 부분이 많이 있습니다. 또, 남녀 관계는 시시각각 변하며, 서로의 대상을 바라보는 관점이 변하면서 다양하게 변화되기도 합니다.

사회에서의 갑을 관계는 보통 악의적 갑질이라고 해도, 갑과 을의 위치가 크게 변하지는 않습니다. 결국 갑은 자기의 방어를 스스로 할 수 있습니다. 결과도 갑이 스스로 해결할 수 있습니다.

남녀 관계에서의 갑을 관계는 을로 보여지는 여성이 갑으로 보여지는 남성을 엮는 순간, 을로 보여지는 여성이 절대 갑이되며, 갑이라 여겨지는 남성은 절대 을로 바뀝니다.

사실에 근거한 남녀 관계의 갑을이 바뀌는 것은 당연한 결과입니다. 문제는 보통의 상식적이거나, 사회 통념적인 일반적인 사실을 악의적으로 왜곡하여 워딩하는 것입니다. 또는 악의적이지는 않지만 의도를 가지고 문제화 삼는 것입니다.

악의라는 의도성이 있든 없든 절대 을이 되어버린 남성은 사회적 갑을 관계의 갑처럼 자기 보호를 하기 힘듭니다. 거의 살인적 수준입니다. 살인적 수준이라고, 이렇게 표현하는 것이 과하다고 할 수 있습니다. 사회 통념상 보통의 상식적인 수준의 일반적인 것을 엮는 것을 말합니다.

이 글을 읽을 때 보통의 소시민 남성이 사회 통념상 보통의 상식적인 수준의 일반적인 것임에도 불구하고 악의적으로 엮이는 것을 생각하며 읽어 주시면 감사하겠습니다.

2023년 작가 李謁智(이알지)

※보통의 소시민은 아들, 아빠, 남편, 남동생, 오빠, 사위, 애인 등 주변에서 보통으로 살아가는 남성을 의미합니다.

<을교수의 말>

　2023년도를 즈음하여,

　한국 사회는 남녀 관계를 적대적으로 표현하는 경우가 상당히 많습니다. 남녀 관계가 직장이나 이익 단체에서 갑을 관계로 생각하기도 합니다.

　각종 미디어에서는 상당히 과장되고 느끼한 모습을 갑을 관계에 의한 남녀 관계의 성추행으로 묘사합니다. 그래서 성추행이라고 하면 사람들의 뇌리에는 상당히 과장되고 느끼한 모습을 갑을 관계에 의한 남녀 관계의 성추행으로 무의식적으로 떠올립니다.

　'간혹, 이런 것도 성추행이야?'에 해당하는 경우도 종종 들립니다.(진실의 문제는 제외합니다.) 사회적 상식이나 통념에서 허용되는 수준에 관한 정도의 일입니다. 남의 일이라면 그냥 지나가는 가십거리거나 일종의 해프닝이지만, 가십거리거나 해프닝의 당사자에게는 정말 해결하기 힘든 곤욕스럽고, 큰 일입니다. 이런 가십거리나 해프닝은 당사자에게 생물학적, 사회적, 공동체적 죽음으로 인도하기도 합니다.

　한국세계윤리사관대학교에서 남자이고 덕망있는 을교수에게 벌어진 가십거리거나 해프닝에 관한 이야기를 적습니다. 가십거잛리거나 해프닝을 만든 사람은 여자이고 좋은 듯한 이미지를 보여주는 이중적인 성향의 갑조교입니다. 남자와 여자, 교수와 조교는 갑을 관계가 명확해 보입니다.

그런데 성에 관련해지면 갑을 관계가 절대적 갑을 관계로 바뀝니다. 갑의 위치가 절대적 을로 바뀝니다. 절대적 을로 바뀌면 할 수 있는 것은 거의 없습니다. 무엇인가 생존을 위해 하면 할수록 2차 가해라는 새로운 주장에 가로막힙니다.

'이런 것도 성추행이야?'(사회적 상식이나 통념에서 허용되는 수준에 관한 정도의 일입니다.)에 해당하는 것으로 어떻게 갑조교가 을교수를 힘들게 옥죄였는지 확인하는 장이 되길 바랍니다. 우리 사회는 갑조교와 같이 의도적으로 악의적으로 남성을 엮는 경우가 종종 있습니다.

특히, 을교수를 가십거리의 대상으로 보지말고, 친한 동료, 남동생, 오빠, 형, 아빠, 남편, 애인, 장인, 장모, 친구 등 직접적으로 관련있는 보통의 사람으로 생각해서 이 책을 읽었으면 좋겠습니다.

이 책에 등장하는 갑조교는 이중적인 사람임에도 불구하고 자기 자신을 대외적으로 좋아 보이는 듯하며, 사교성이 좋고, 예절 바르고, 선한 사람처럼 잘 포장했습니다. 그러나 을교수에게 한 행동을 의미론적으로 분석해보면 아주 이중적인 사람이라는 것을 아주 쉽게 유추할 수 있습니다. 갑조교가 직장 생활하는 곳곳에서도 나타납니다.

갑조교의 성추행 관련된 성고충위원회 신고 및 이에 따른 요구사항 등은 갑조교의 이중적인 사람됨을 알 수 있게 합니다. 어찌보면 심각하고 커 보이는 사안입니다. 그러기에 더 조심히 접근해야합니다. 갑조교는 그러지 않았습니다.

'이런 것도 성추행이야?'에서 '이런 것도'에 해당하는 것의 범위는 넓습니다. 여기서는 사회적 상식이나 통념 수준에서 말하는 것입니다. '이런 것도'에 해당하는 것을 성추행 관련으로 엮는 다는 것은 보통의 사람으로는 할 수 없는 일입니다.
보통의 사람은 절대 그렇게 하지 않습니다. 선하게 살려는 보통의 사람은 더욱 그렇습니다.
개인의 감수성을 핑계삼을 수 있습니다. 그러나, 월급을 받고 사회 생활을 할 정도의 수준이라면 개인의 감수성을 핑계 삼으면 곤란합니다. 의도적인 악의적인 접근일 확률이 높습니다.

안타깝지만 선한척하는 이중적인 갑조교는 그것을 실행했습니다. 물론 갑조교 당사자는 억울하다고 할 수 있습니다. 그러나, 갑조교는 을교수의 별로 끈질기지도 않은 관찰에 의해 본모습이 드러났습니다. 일지에 나오는 2023년 7월 28일 금요일 11시 30분 경에 확실해졌습니다.

선한 사람처럼 보이며 살려고 하는 갑조교의 행동은 안타깝지만 우리 주위에 보이는 보통의 대다수인 을교수와 같은 사람을 살해할 수도 있습니다.

살해할 의도는 아니었다고 변명하겠지만 결과적으로 살해 의도가 있는 것이 다분합니다. 갑조교가 주장한 개인의 느낌을 그대로 갑조교에게 적용하는 것입니다.

이 책을 읽는 독자의 주변에 갑조교와 같은 사람이 없길 바랍니다. 혹시 을교수처럼 갑조교와 같은 사람에게 당하여 어려움을 겪고 있는 사람이 있으면 잘 위로해주길 바랍니다.

작은 위로지만 을교수의 처지에 있는 사람에게는 삶의 끈을 잡고 있을 수 있는 큰 힘이 됩니다.

2023년을 보내며

한국세계윤리사관대학교 을교수

2023년 여름에 이슈화 되었던 내용이다.

나름 공감대가 형성된다.

(정치 성향에 따른 진영 논리는 제외한다.)

< 국회의원 허은아의 여가부 폐지 주장 >

여가부 폐지에 관한 이론적 근거 :

상호 보완의 이익보다는 다툼의 이익을 추구하는 이익 추구 여성 단체 카르텔로 봄.

여가부의 활동에 기반을 둔 이익 추구 여성 단체 카르텔은 공익보다는 사익을 추구하기 위해 일부터 대결적인 소모적인 분위기를 만듦.

망국적 성별 갈등의 주범이라고 함.

심지어는 실적을 위해서 보통의 일반적인 것들을 특별한 것으로 변형된 듯하게 포장하여 만들어 내는 경우도 발생함.

특히, 남녀의 시선을 상호 보완의 시선이 아닌, 대결의 시선으로 변질시켰다고 주장함.

<책을 읽기 전에>

책의 구성

책은 총론과 일지의 형식으로 구성하였습니다.

<총론 부분>

전체적인 을교수의 생각, 주변 인물, 장소, 생각 등을 시간의 흐름을 기준으로 적었습니다.

<일지 부분>

을교수와 갑조교 사이의 일을 시간의 변화에 따라 일지 형식으로 기록했습니다. 일지 형식이기는 하지만 그때의 심리 또는 느낌을 적기도 했습니다.

　쉬운 형식으로 구성해서 금방 읽을 수 있습니다. 나름 여러 가지 다양한 시선을 제공해줍니다.

세계윤리사관대학교 소개

세계윤리사관대학교 총본부 :
이탈리아 로마 바티칸에 위치 : 윤리적으로 바른 사람이 사회 곳곳
에서 일을 하면서 윤리적인 아름다운 세상을 만드는 것을 설립 목
표로 종교색을 띄지 않고 각 국가에 세계윤리사관대학교를 운영

한국, 튀르키에. 콜롬비아 : 4년제 대학교 과정과 2년제 대학원 과
정 운영
다른 나라 : 4년제 대학교 과정만 운영

차이 : 편제상 장학국이 추가됨

4년제 대학교 과정
교무국, 기획국, 특기적성국, 학생국,

4년제 대학교 과정과 2년제 대학원 과정
교무국, 기획국, 특기적성국, 학생국, 장학국(추가)

제1부 총론

  총론은 여러 가지 내용을 주제별로 적었다. 일지는 총론의 내용을 뒷받침해준다.

  이 책은 크게 두 부분으로 구성된다. 주제별로 대략의 느낌을 적은 **총론 부분**과 사건이 있는 날의 기록을 통해 그날의 내용 느낌 심정을 적은 **일지 부분**이다.

시간이 흐름이 왔다 갔나 한다.
  책을 쓰면서 심경의 변화가 생기기 때문이다.

부임

2020년 을교수는 한국세계윤리사관대학교에 부임했다. 한국세계윤리사관대학교는 대학교 4학년 과정과 대학원 2학년 과정을 함께 운영하는 세계윤리사관대학교이다. 보통의 세계윤리사관대학교는 4학년 과정만 운영한다.

을교수가 한국세계윤리사관대학교에 부임하기 바로 전에는 아프리카 모로코의 수도 라바트에 있는 모로코세계윤리사관대학교에서 4년간 근무했다.

을교수는 그 전에는 타이페이에 있는 대만세계윤리사관대학교에서 5년간 근무했다. 이때 지도했던 생도 중에 2명이 한국의 의과전문대학원에 진학했다. 보통은 의과대학으로 바로 진학하기 때문에 세계윤리사관대학교에서 의과전문대학원으로 진학하는 것은 어렵고도 드문일이다. 세계윤리사관대학교에서 의과전문대학원으로 진학하는 것도 어렵지만, 일반 4년제 대학교에서 의과전문대학원을 진학하는 것 또한 어려운 일이다. 이렇게 국가를 바꿔서 특히 한국에 있는 의과전문대학원에 진학하는 것은 정말 어렵고 귀하고 소중하고 영광스러운 일이다. 의사라는 직업의 소득을 보고 하는 것이 아니라, 대만에서 한국에 있는 의과전문대학원에까지 진학한 노력을 말하는 것이다.

그리고 아프리카 모로코에 있는 모로코세계윤리사관대학교에서 근무했다. 이때 교무국장 김태희 교수와 기획국장 이하늬 교수와 함께 근무했다. 현재 을교수를 포함한 김태희 교수와 이하늬 교수 3명은 모두 같이 한국의 서울에 있는 한국세계윤리사관대학교에 교수로 재직 중이다.

김태희 교수와 이하늬 교수와 을교수는 방송에서 나오는 동명의 연예인과 같이 한국의 서울대학교를 졸업했다. 공교롭게 셋은 같은 해에 서울대에 입학해서 같은 해에 서울대를 졸업했다. 김태희 교수와 을교수는 서울대에서 같은 과를 전공했으며, 이하늬 교수와 을교수는 같은 대학원을 다녔다. 이하늬 교수와는 같은 대학교와 같은 대학원 동문이라는 의미이다. 이후의 행보는 을교수의 군대 문제로 서울대학교를 졸업하고 나서는 셋은 오랫동안 많은 시절 다른 길을 걸었다.

그리고 인연은 대만에서 김태희 교수와는 6개월 정도로 조금, 이하늬 교수와는 4년 정도 강단에 섰다. 그리고 최근에 아프리카 모로코의 수도 라바트에 있는 모로코세계윤리사관대학교에서 4년간 함께 강의했다. 그리고 김태희 교수와는 한국으로, 이하늬 교수는 모로코의 지중해 건너편 있는 스페인 마드리드에 있는 스페인세계윤리사관대학교에서 3년동안 강의하다가 2022년 한국에 있는 한국세계윤리사관대학교에서 강의 중이다.

이렇게 세계윤리사관대학교라고 하니 세계윤리사관대학교라는 곳이 어떤 곳인지 궁금할 것 같다.

세계윤리사관대학교는 4년제 대학교과 2학년 대학원의 편제를 가진 대학교이다. 보통 주변에서 볼 수 있는 세계윤리사관대학교는 4년제 대학교의 편제를 가지고 있다. 세계 각 국가에 설립되어 있다. 4년제 대학교 편제에 추가하여 2년제의 대학원 편제까지 가진 세계윤리사관대학교는 세계에 3개가 지정되어 설립되고 운영하고 있다. 남아메리카와 북아메리카의 중심에 있는 콜롬비아, 아시아와 유럽과 아프리카의 중심에 있는 튀르키에, 그리고 분단 국가의 특수성을 가진 한국까지 3개이다. 한국은 중국, 인도, 동남아, 호주 인근까지가 관할 교육구역이다.

세계윤리사관대학교는 이탈리아의 로마 바티칸 근처에 세계윤리사관대학교 총본부를 두고 있는 대학생 및 대학원생 교육기관이다. 설립 이념은 바티칸의 큰 영향력 하에 있지만 종교 색을 띄지 않고, 종교를 초월하여 인성이 바른 사람이 세계의 다양한 직업에서 바른 인성으로 생활하면서 모범이 되어 선한 의지를 가진 아름다운 지구 공동체를 만드는 것이다.

한국과 같은 대학교 4학년과 대학원 2학년의 편제를 가진 세계윤리사관학교의 특징은 다음과 같다. 교무국, 기획국, 학생국, 특기적성국의 4년제 세계윤리사관대학교 체계에 장학국이 추가되는 것이다.

장학국은 생도의 진로, 복지, 장학금 등을 관리한다. 그래서 장학국 사무실에 조교가 추가로 지원되며 장학국 조교는 장학국 사무실에서 근무한다. 장학국 사무실은 다양한 교구 등 이 있어서 보통은 웬만한 강의실 보다 크고 냉온 정수기, 공기청정기, 복사기 등 다양한 교육장비와 편의장비도 많다. 특히 한국세계윤리사관대학교의 장학국 사무실은 총장실보다도 더 크다.

특기적성국도 특기적성 조교가 있으며 사무실도 있다. 특기적성국 사무실은 장학국 사무실에 1/4 정도의 크기이다. 특기적성국은 특기적성 시간 강사의 강의실 배정 및 수업 등을 관리하기 때문에 특기적성국 사무실 자체는 크기 않다. 특기적성국은 생도들의 다양한 특기적성을 키워주기위해 강사 모집, 오후 특기적성 수업을 관리한다.

특기적성국은 장학국과 업무가 겹치는 깃도 있는 데 대표적인 것이 특기적성 장학 자유수강권이다. 장학국과는 배타적이기 보다는 상호보완적이다. 그러나 시간이 지나면 상화보완적에서 배타적으로 변질되기도 한다. 보직의 변동이 없는 조교들의 알력 싸움이랄까? 세계윤리사관대학교에서는 여러 가지 이유로 생도들에게 특기적성 장학 자유수강권이 발급되고 있다. 특기적성 장학 자유수강권에 관한 업무를 한국세계윤리사관대학교에서는 2022년까지 장학국에서 담당했다.

2020년 을교수가 한국세계윤리사관대학교에 부임했을 때 장학국이 있는 것이 생소하고 많은 것이 이루어지는게 놀라웠다. 을교수는 세계윤리사관대학교에서 오랜 기간 여러 국가에서 교수로 재직했지만 장학국이 있는 대학교 4년에 추가로 대학원 2년 체계 편제를 가진 세계윤리사관대학교에서 근무하는 것은 처음이다. 그전에는 대만, 모로코와 같이 4년제 편제의 세계윤리사관대학교에서만 교수직으로 생도들에게 강의를 했다.

장학국은 특기적성국과 함께 조교가 배정되며 사무실이 하나 더 있다. 여기를 장학국 조교가 상주한다. 조교는 보직 변경이 없이 계속해서 장학국과 특기적성국 고유의 업무를 하며, 거의 베테랑이 되어 있는 각 분야의 전문가가 되어있다. 어쩌면 보직 변경이 자주 있는 국장들보다 더 업무를 매끈하게 처리할 수 있다. 그래서 중요하기도 하고, 번거롭기도 해서 조교를 배치한다.

세계윤리사관대학교에서 조교가 배치되는 곳은 장학국, 특기적성국, 대학본부 사무실이다.

장학국 조교가 근무하는 장학국 사무실은 총장실보다 더 넓다. 장학과 함께 생도들의 다양한 복지를 담당하기에 장학 조교는 보직 변경없이 계속하며, 장학국의 터주대감이다. 대학교를 옮겨도 장학국 고유의 업무를 한다.

그래서 장학국 조교는 생도들의 고충을 들어줘야해서 친절하기도 하고, 생각이 깊으며, 따뜻하기도 하다.

장학국 사무실은 얼음 온수 정수기를 비롯해, 생도들의 편의와 복지를 위한 물품 및 교구들이 많이 배치되어 있다.

2020년 을교수가 한국세계윤리사관대학교에 부임했을 때 장학국 사무실에 근무하는 장학국 조교는 친절하게 말하며, 교구들도 사용하고 얼음 온수 정수기도 잘 이용하라고 했다. 가끔 와서 차도 마셔도 된다고 했다. 특별히 생도들을 지도하면서 장학국 사무실에서 물품을 빌리거나 하지는 않았다. 코로나19로 인해 공용 정수기를 막아서 물을 구하거나, 더운 여름에 얼음이 필요할 때, 몇 번 가능 정도였다. 그때마다 장학국 사무실에 근무하는 장학국 조교는 웃는 얼굴로 맞아 주었다.

그렇게 3년의 시간이 흘렀다.

전근

2023년 새로운 장학국 조교가 아메리카 콜롬비아 세계윤리사관대학교에서 전근왔다.

장학국 조교는 장학국 업무에 베테랑이다. 장학국 업무에 전문가적인 느낌을 받았다. 사실 어떻게 보면 보직 변동없이 그 업무만을 하니 그렇게 되어야 할 수도 있다.

3월 초 장학국 조교로부터 대학교 내부 메신저를 통해 쪽지가 하나 왔다. 장학국 조교는 색에 대해 관심이 많고 잘 알고 있다. 장학국 조교는 3월 초 색에 관해 교직원 동아리부 팀장이 되기도 했다. 그리고 대학교 내무 메신져를 이용해서 모든 교직원에게 쪽지를 보내며 동아리부를 모집하기도 했다.

2023년 장학국 조교가 새로 오면서 특기적성 장학 자유수강권의 업무가 장학국에서 특기적성국으로 이관되었다. 우연의 일치 일지는 모르지만 2023년 이전까지 한국세계윤리사관대학교의 특기적성 장학 자유수강권의 업무는 한국세계윤리사관대학교가 설립된 후로 계속해서 장학국 담당 업무였다.

특기적성 장학 자유수강권의 업무는 전문적인 지식, 시행착오, 많은 시간이 필요한 어떻게 보면 기피 업무이다.

업무의 이관으로 인해 3월 초는 바쁘게 지나간다. 3월은 교수 사회에서는 매우 바쁜 시기이다. 을교수는 빠른 업무 처리를 위해 특기적성국 조교와 전임 장학국장과 새롭지만 보직변경없이 장학국업무를 하고 있는 장학업무 베테랑인 장학국 조교에게 자문과 도움을 구했다.

특히 장학국 사무실에서 장학국 조교에게 도움을 구한 것이 화근이 될 줄은 이때까지는 을교수는 몰랐다.

도움을 구하면서 오라고 할 수은 없는게 인지 상정이다. 보통은 도움을 구하는 사람이 찾아간다.

특기적성 장학 자유수강권은 전산으로 처리된다. 특기적성 장학 자유수강권을 전산으로 처리하기 위해서는 컴퓨터 화면을 봐야한다. 특기적성국장과 특기적성 조교는 장학국에서 넘어온 새로운 업무에 대해서 익숙하지 않았다. 전임 장학국장은 보직 변경으로 인해 컴퓨터 화면에서 특기적성 장학 자유수강권에 대한 접근 권한이 사라졌다. 그래도 2022년 업무의 어려움을 쉽게 해결하기 위해 많은 조언과 계속적인 도움을 주었다.

(계속해주는 전임 장학국장의 조언으로 특기적성 장학 사유수강권은 디지털 전산과 아날로그를 결합한 미묘한 조합의 매커니즘을 가진 업무라는 것을 이해했다. 이것을 이해하는 것이 생각보다 힘들다. 퇴근 후에도 생각해야한다. 그래도 친절하게 알려준 전 장학국 국장을 을교수는 고맙게 생각했다. 여러번의 설명이 특기적성

장학 자유수강권의 매커니즘을 이해하는데는 최고이다. 이해가 있어야 시행착오를 줄이고 바쁜 3월 초의 업무를 시간에 맞추어 할 수 있다. 그리고 다시 한번 6월 초에 특기적성 장학 자유수강권의 환급 절차가 있는데 이때 다시 업무의 파도가 밀려온다고 했다.)

2023년 새로 온 장학국 조교의 화면은 특기적성 장학 자유수강권의 화면을 볼 수 있었다. 이런 화면의 탭은 어디에서 보며 어디에 있는지 몇 가지 질문을 하기도 했다. 특기적성국장은 특기적성 장학 자유수강권의 메카니즘을 파악하기도 바빴다. 전 장학국장이 일일이 확인을 하는 것이 오류가 적다고 하면서, 조언을 해주었다.

장학국 조교의 화면과 전임 장학국장의 설명으로 약간 메커니즘이 이해가 되었다. 다행히 마감 시간이 3월 초반까지인 1차 특기적성 장학 자유수강권의 일을 진행할 수 있었다.

특기적성 장학 자유수강권의 고유업무를 계속하던 사람은 주변에 장학국 조교가 유일했다. 그래서 장학국 조교에게 자문을 구했는데, 아메리카 콜롬비아세계윤리사관대학교에서는 장학국에서 특기적성 장학 자유수강권 업무를 하지 않는다고 했다. 사실 한국세계윤리사관대학교는 했으니, 입장을 바꿔서 콜롬비아세계윤리사관대학교에서 보면 다른 세계윤리사관대학교에서는 특기적성 장학 자유수강권 업무를 장학국에서 한다고 볼 수 있다.

하여튼 한국세계윤리사관대학교에서는 모두가 기피하는 특기적성 장학 자유수강권의 업무가 2023년도에 장학국에서 특기적성국으로 이관되었다.

특기적성 장학 자유수강권은 예상대로 생각보다 신경을 많이 쓰는 업무가 되었다.

5월에 발생한 어이없는 해프닝이 있기 전까지는 약간의 희생 봉사정신이었다. 5월에 발생한 어이없는 해프닝 이후에는 장학국으로부터의 특기적성 장학 자유수강권 업무이관을 강력히 반대한다고 했어야 하는 후회가 엄청 컸다.

3월초 시간 안에 해야하는 특기적성 장학 자유수강권의 업무를 다행히 끝냈다. 3월 잠깐 시간이 나서, 지나가는 길에 장학국 사무실에 들어가 색에 관한 팀장인 장학국 조교에게 색에 대해 조언을 구했다. 조언을 구한 내용은 '공업이나, 노동에 관해 사용되는 색은 어떤 것이 있을까요?' 정도였다. 파란색 계열이 좋다는 것은 이미 알고 있지만 이것은 색에 관해 별로 관심이 없는 사람도 아는 정도이다.

을교수는 궁금한 것은 해결하려고 노력한다. '최선의 방법으로 예의에 벗어나지 않게'

일지에 언급한,

2023년 5월 15일 18시 전후에 장례식장에 있었던 모두가 궁금해 했던 일도 비슷한 일이다. 일지에 언급되어 있다. 을교수의 인품도 함께 적었다.

다시 색깔 이야기로 돌아간다.

파란색에 관해서는 대학본부 사무실에 있는 부총장과도 이야기한 적이 있다. 그때만해도 을교수가 파란색에 관심이 많을 때 이다. 이때 관심을 두었던 파란색이 티파니 블루와 샤르트르 블루였다.

장학국 조교인 갑조교는 잘 모른다고 했다. 잘모른다고 하는 뉘앙스가 이상했다. 약간은 시큰둥하고, 약간은 쎄~~한 느낌은 받았다. 보통은 그러지 않는다. 자신이 전문가적인 소양이 있으면 친절히 도움을 준다. 특기적성국장인 을교수는 색에 관심이 있었을 뿐이다. 장학국 조교인 갑조교는 색에 관한 동아리 팀장이다. 을교수는 갑조교에 아무런 생각도 없다.

장학국 사무실에서 갑조교에게 질문을 하고 장학국 사무실을 나와서 옆에 있는 상담실의 상담 교수에게도 같은 질문을 했다. 그냥 지나가는 길에 2분도 채 걸리지 않는 질문이었다. 2명에게 물어본 것은 2명의 직업 특성상 사람을 상대하는 일을 한다. 그래서 인간의 심리 영역을 담당하기에 색에 대해서도 조회가 깊을 것 같다는 생각을 해서이다.

더욱이 갑조교는 색에 관한 동아리 팀장이다.

그냥 인사도 하고, 삭막해지는 사회 생활에 윤활제 정도라고 생각했다.

특기적성 장학 자유수강권은 3월 초에 이루워져야 한다. 생도들이 바른인성을 추구하는 엘리트들이기는 하지만, 가정 형편이 어려운 생도들도 있다. 그래서 장학국 사무실에 방문하여 장학국에서 주는 장학복지혜택이 어떤 것이 있는지 갑조교에게 물어보기도 했다.

갑조교에 대한 을교수의 생각 1

별 생각 없음.

그런데 갑조교는 스스로를 예쁘다고 생각하는 것 같음

주변에서 갑조교를 좋게 보고 있다고 생각하는 것 같음.(2023년 3월 현재)

2023년 7월 28일 금요일 11시 30분 이후 갑조교에 대한 생각

　갑조교는 이중적인 가식적인 모습을 하고 있음.
　스침을 터치로 악의적으로 워딩하는 것만 봐도 알 수 있음.
　특유의 하이톤 목소리를 활용하여,
　　주변에 간접적인 작은 가스라이팅을 하고 있다고 생각함.

특기적성국 새로운 프로그램 신설

2023년 특기적성국에서 생도들의 문해력과 음악적 소양을 높이기 위해 문해력 프로그램과 바이올린 프로그램을 야심차게 신설했다. 신설과목이라서 그러는지 수강하는 생도가 별로 없었다. 2022년 겨울 공개채용을 하고 계속해서 수강하는 생도가 적어서 고민하고 있었다. 그러던 중 문해력 지도 강사가 설문지를 부탁했다. 문해력 과목이 폐강이 되면 여러 가지 어려움이 발생한다. 그래서 몇몇 교수에게 특기적성국의 문해력 프로그램 상황을 설명하면서 설문지를 부탁했다. 특기적성국 조교는 본인과 특기적성 강사에게 설문지를 부탁했다.

장학국 조교에게도 장학국 사무실을 지나가는 길에 부탁을 했다. 물론 특기적성국 문해력 프로그램에 대해서 상황을 설명하면서 했다. 이때 같은 조교인 특기적성국 조교에게 부탁하라고 하는 편이 좋았을 것 같다.

장학국 조교는 다양한 설문지로 인해 설문지에 대한 거부반응이 크다며 거절했다. 그럴수도 있겠다는 생각정도는 했지만, 보통은 해주는데 하는 생각이 들었다.

그러면서, 을교수는 장학국 조교가 설문지 부탁에 대해 상당히 과민하게 신경질적으로 반응한다고 느꼈다. 평소에 생각한 갑조교의 모습과 사교적인 이미지와는 정말 많이 달랐다. 원래 '이렇게 신경질적인 사람이었나?' 할 정도의 당혹감과 부탁함에 대한 민망함이 있었다.

설문지를 부탁한 문해력 강사에 대한 불만인지, 설문지를 들고 온 을교수에 대한 불만인지 약간은 모호했다. '사회 생활을 굳이 그렇게 까지 해야할까?' 을교수는 생각하면서, 민망해서 장학국 조교 사무실을 나왔다. 갑조교가 돌려주는, 민망하게 건네준 설문지를 다시 받으면서.....

그리고 을교수는 문해력 강사가 부탁한 설문지를 다른 교직원들에게 부탁하는 것을 멈췄다.

<갑조교가 쪽지를 보내다.>

설문지를 거절당하고,

이렇게 지나가는 듯한, 그날 오후

갑조교에게 대학교 내부 메신저를 통해 쪽지가 하나 왔다.

핵심은 남자이니 방문을 자제해 달라고 하는 내용의 약간의 장문의 글이다. 사실 장학국 업무는 생도들에게 개인적인 것이거나, 민감한 것이 있어서 오해의 소지가 많다. 쪽지나 전화로는 내용이 와전될 수도 있다.

쪽지의 내용을 곱씹을수록 문체가 이상하다는 것을 느꼈다. 학술적으로는 의미론적으로 분석한다고 한다. 의미론적 분석을 하면 몇 개의 문장을 가지고도 생각보다 많은 것을 유추할 수 있다. 틀릴 수도 있지만 참고 정도 하기에는 모자람이 없다. 은근히 적중률이 높다.

갑조교의 쪽지는 대답하기 난감해서 그냥 짧게 알았다고 쪽지를 보냈다.

이상함을 느낀 을교수는 갑조교의 쪽지를 사진으로 찍었다. 증거의 보관이 필요하다는 것을 직감했기 때문이다. 그리고 뒤에 나오지만 그 느낌은 적중했다.

그리고 이상함을 느낀 을교수는 갑조교가 있는 장학국 사무실을 방문하지 않으려고 했다.

그 전의 방문 내용은 거의 특기적성 장학 자유수강권에 관한 업무 또는 생도에 관한 것이었다. 모두 민감한 것들이다. 하나는 3월 초의 시기라는 것이 중요했고, 하나는 개인 신상에 관한 것이라 생도에게 마음의 상처를 주지 않아야 했다.

을교수는 그 뒤 장학국 사무실을 거의 방문하지 않은 것으로 기억한다.

그런데 특기적성국에서 특기적성 위원회를 구성해야한다. 부총장, 교무국장, 장학국장이 핵심 위원이 되어야한다. 역시 특기적성 위원회 구성도 시간이 중요했다. 바티칸에서 막대한 특기적성 예산이 2023년도 새로 신설되어 내려왔기 때문이다. 교무국장과 장학국장을 찾아 다니던 중 우연히 장학국 사무실에 있는 것을 발견하고 위원회 구성원이 되어 달라고 방문하는 정도였다.

이렇게 글로 표현하니 간단한 것 같지만, 오전 강의를 마치고, 다른 업무를 하면서 생도를 관리하면서, 찾으러 다니는 것이기에 생각보다 바쁘고 급한 것이다.

<갑조교가 보낸 3월의 쪽지 >

　내용 : 갑조교 자신이 교직원 동아리 중에 색에 관한 동아리 팀
장이 됨. 앞으로 잘 해보자는 내용임.

　갑조교가 보낸 쪽지의 문체는 밝으며 긍정적인 내용의 문체였다.
나중에 종합해보면 갑조교의 모습은 쪽지에서 느껴지는 그런 모습
은 아닌 것 같았다.

특기적성 장학 자유수강권

특기적성 장학 자유수강권은 복잡한 업무이다. 옆에서 보면 간단해 보이지만 3월 초에 업무를 파악하고, 해당 생도들을 일일이 찾아서 작성해야 하는 많은 시간과 주의와 집중력이 요구되는 일이다. 기본 업무인 강의도 매일 해야한다.

6월에는 특기적성 장학 자유수강권 환불에 대한 일도 있다. 이것 역시 해당 생도들을 일일이 찾아서 하는 많은 시간과 주의와 집중력이 요구되는 일이다. 예를 들어 20명의 인원이 발생했다면, 일일이 찾아서 20명을 찾은 것이다. 단순하게 정리되어 보이는 20명이라고 해서 간단하지 않다. 파악하는 과정은 전체 모집단을 봐야 한다. 또한 20명의 특기적성 장학 자유수강권의 사용 내역을 월별로 일일이 확인해야 한다.

하여튼 2023년 특기적성 장학 자유수강권에 대한 업무가 장학국에서 특기적성국으로 이관되어서 을교수는 생각보다 동분서주하며 조언을 구하고 있다.

특히, 주의해서 살펴봐야 할 것은 을교수가 장학국 조교에게만 조언을 구한 것이 아니다. 특기적성국 조교와 전 장학국장에게 조언을 구하여 3월초 시간 안에 명단을 작성한 것이다. 장학국 조교인 갑조교는 자기와는 상관없는 업무를 을교수가 물어본 것이라고 귀찮아하면서 단순하게 생각할 수 있다. 을교수에게 비친 갑조교의 모습과 표정은 귀찮아하는 그런 표정이라고 생각된다.

누누이 말하지만 2023년 한국세계윤리사관대학교에서 특기적성 장학 자유수강권은 장학국의 업무였으며, 장학국 조교는 그 업무의 한 위치를 담당하고 있다.

이 부분이 그냥 장학국 사무실에 장학국 조교를 만나러 간 것이라고 하면 큰 오해가 발생한다.

그런데 을교수는 이런 오해를 받은 것 같다. 그래서 위원회 내용에도 포함된 듯 싶다.

아니면, 을교수의 방문이 귀찮아서 엮은 것일 수도 있고, 그냥 수가 틀려서 엮은 것일 수도 있고, 방문을 방지하기 위해 엮은 것을 수도 있다. 단순히 귀찮은 것인지, 악의적인 것인지 알수는 없으나 결과는 살의를 띄는 것이다. (2023년 7월의 생각)
살의를 띈다는 것은 결코 과한 해석이 아니다.

이글이 주로 쓰여지고 있는 7월과 8월은 박원순 시장이 자살 (2020년 7월)을 하고 부안 교사가 자살(2017년 8월)한 달이 있다.

두 죽음을 아쉬워하거나 옹호할 수 없는 사회적 분위기가 크다. 그러나 분명한 것은 악의적이거나, 왜곡시킨 부분이 있다는 것이다.

악의적이거나 왜곡된 것은 제3자나 이익의 대상자가 있으면, 더 커지게 된다.

앞에서 기술한 것처럼, 갑이라 생각되어진 것이 절대 을이 된다.

앞에서 언급한 여가부 폐지를 주장한 허은아 국회의원의 의견이 이해가 가는 면이 있기도 한다.

사회단체, 복지단체, 여성단체, 종교단체 등 여가부와 엮을 수 있는 단체는 고유의 업무를 하여 사회의 어두운 곳을 보강해주기도 한다. 하지만 때로는 그들 자신의 이익 카르텔이 되기도 한다. 그리고 이익 카르텔이 되는 순간 자신에게 필요하게, 입맛에 맞게 엮는 것을 정말 잘 한다. 갑조교는 업무 특성상 사회단체, 복지단체, 여성단체, 종교단체 등과 교차하는 부분이 있다. 없을 수 없다.

별일 없이 시간이 흘렀다.

부총장의 면담 요청

부총장이 면담을 요청했다. 부총장은 '왜 면담을 하는지?'를 을교수에게 질문했다. 을교수는 이유를 모른다고 했다. 혹시 생도들의 민원으로 인한 면담인 줄 알았다. 또는 특기적성국 업무에 관한 민원으로 생각했다. 그런데 그것과는 전혀 상관이 없는 다른 내부 교직원에 관한 내용이었다.

핵심은 장학국 사무실에 방문하지 말 것이며, 장학국 갑조교를 불편하게 하지 말라는 것이다.

그래서 을교수는 갑조교에 대한 이상스러운 반응에 대해 이야기하고, 쪽지의 내용도 설명했다. 쪽지 이후로는 을교수의 기억에 의하며 특기적성국 특기적성 위원회 구성을 위해서 마침 교무국장과 장학국장이 있어서 장학국 사무실을 방문했다고 했다.
그리고 4학년 졸업생 생도들의 장학업무를 위해서 4학년 졸업반 생도를 담당하고 있는 유교수와 김교수와 함께 방문한 정도이다.

혹시, 또 을교수가 방문했다면 기억에도 두지 않을 정도의 방문일거라고 생각된다.

을교수의 기억은 거의 확실한 것으로 기억한다. 특히 갑조교가 보낸 4월의 쪽지는 직감적으로 이상함을 느꼈기 때문이다. 갑조교의 쪽지가 얼마나 이상하면 스마트폰으로 사진을 찍어서 날짜와 시간과 내용을 기록했을까를 생각해보면 알 수 있다.

총장 환송회

한국세계윤리사관대학교의

총장 바티칸 전출 환송회 이야기 : 갑조교 앞에 앉은 을교수

   을교수는 유 교수와 같이 졸업을 앞 둔 4학년 생도들을 맡고 있어서 함께 유교수와 함께 동석했다. 갑조교는 그냥 앞에 앉아 있었다.
   사실 유 교수가 훨씬 지적이고 매력적이다. 그리고 친밀도도 있다. 훨씬 예의도 있다.

   을교수의 입장에서

   세속적으로나 상식적인 관점에서 보면

   갑조교에게는 미안하지만 비교할 수 조차도 없나.

   갑조교는 을교수의 생각에서 그냥 없다.

을교수의 성품

을교수는 궁금한 것을 해결하려고 노력한다.

총장 환송회를 하고 난 다음 날 을교수는 장례식장을 방문했다. 장례식장 1층 로비에 안내판이 있었다. 그런데, 장례식장 안내판에 영정 사진이 없는 곳이 있었다. 왜 그런지 일행이 궁금해했다. 이때 부총장, 교무국장, 기획국장 등 많은 교직원이 있었다. 여러 가지 의견이 나왔다. 그 중 하나는 요즘 장례식장 트렌드가 사진을 게시하지 않는다는 것도 나왔다. 트랜드가 그런다는 것은 정말 최고의 답이었다.

그래도 궁금증을 해결하기 위해서, 을교수는 직접 물어본다고 했다. 주변에서는 예의가 아니라고 말렸다. 을교수도 당연히 예의가 아니라는 것 정도는 알고있다.

보통은 장례식장 1층 로비에 장례식장 사무실이 함께 있다. 장례에 관한 모든 업무를 한다. 을교수는 장례식장 사무실에 가서 물어봤다. 사무실 직원은 친절히 이유를 설명해 줬다. 갑자기 상을 당해서 아직 영정 사진을 준비하지 못해서 그런다고 했다. 조금 있으면 영정 사진을 게시한다고 했다.

그날 저녁 늦게 장례식장을 나오는데 영정 사진이 게시되었다.

을교수는 상당히 합리적이며, 예의적이며, 문제를 해결하려는 사람이다.

또 다른 위원회에 참석 :
< 또 다른 위원회에 참석하다. >

5월 26일 황당하고 황망한 날이다.

부총장이 다시 면담을 요청했다.

면담 장소(교수 회의실)에 도착했다. 부총장과 함께 앉아 있는데 상담교수와 의무교수가 함께 입장했다.

　을교수는 뭔 일이지? 하는 생각을 했다. 그런데, 이 자리가 무슨 자리인지, 자리에 대해 상담 교수가 물어봤다.
　을교수는 어리둥절 하면서, 모른다고 하였다.

　상담교수는 성 고충에 관한 자리라고 했다. 을교수는 당황스러 웠다. 을교수는 특별히 성에 관해 저촉될만한 것이 없었기 때문이다. 그렇기에 을교수는 대상에 대해서도 유추 할 수 없었다. 보통의 상식적인 수준에서 사회적 통념 안에서 을교수는 무난하게 생활하기 때문이다.

갑조교의 주장 내용

증거를 따지지는 않지만 증거가 필요하다. 이 정도 사안이면,

　갑조교는 을교수가 갑조교를 터치했다고 한다. 장학국 사무실과
총장 환송회 자리이다. 이것이 핵심이며 나머지는 을교수를 엮기위
해 붙여 넣은 것이라고 을교수는 생각했다.
　터치라는 용어는 터치라는 말 자체가 의도성을 가지고 있다. 용
어의 수정이 필요하다.

스침이 정확하다. 터치보다는

　장학국 사무실에서 스침이 있었는지 조차 을교수는 인지하지 못
했다. 갑조교가 그렇다고 한다. 갑조교의 일방적 주장이지만, 이러
면 한국 사회에서는 있는 것이 된다. 문제다. 그리고 반박하면 2차
가해가 된다. 더 문제다. 갑조교는 매커니즘을 잘 알고 있는 것 같
다. 대응과 진행도 잘 알고 있는 것 같다.

　총장 환송회 자리에서 식탁 밑으로 발을 터치했다고 한다. 여기
는 매스컴에 비치는 이상하고 느끼한 모습이 상상된다. 그렇지 않
다. 그냥 스침이다. 을교수는 인지하지도, 알지도 못한 스침이다. 그
냥 갑조교의 주장이다.

이 두가지를 기본으로 하여 을교수를 엮은 것이다. 여기서 두가지는 갑조교가 그렇다고 한 것을 그대로 받아들이는 것이다. 역시 반박하면 2차 가해가 된다. 그리고 나머지 항목을 붙인 것이다.

갑조교는 이 사안을 가지고 을교수를 옥죄이고 확대하여 문제화 시킨다고 했다. 2023년 7월 주호민 작가가 '밥그릇으로 사람을 협박하는 것이 그렇다.'라는 내용이 방송되었다.(**재판의 결과는 제외한다.**)

그리고 갑조교는 그렇지 않다고 하겠지만, 이것은 을교수에 대한 거의 살인 의도가 있다고 봐야한다.

갑조교의 주장은 정말 중대하다. 갑조교의 주장은 생물학적 살인, 사회적 살인, 공동체적 살인에 관한 것이다.
생물학적 살인은 말 그대로이다.
사회적 살인은 명예 살인다.
공동체적 살인은 을교수의 주변에 함께 했던 공동체에 대한 살인이다.

2023년 12월 15일 금요일 TVING에서 '이재, 곧 죽습니다.'라는 웹툰 원작의 드라마가 방영되었다. '이재'라는 주인공이 삶에 지쳐서 자살로 죽음에 이르고 환생한다는 내용이다. 그리고 '이재'의 자살로 인한 죽음은 단순한 생물학적 죽음으로 끝날 줄 알았다. 그런데 '이재'의 주변의 공동체에도 엄청난 슬픔과 상처와 파장을 만들었다. 자신의 자살로 인한 죽음 이후를 생각하면 함부로 자살을 생각할 수 없다는 주제를 내포하고 있다.

갑조교가 을교수에게 한 행동은,
직장내 갑질이다. 직장내 괴롭힘이다. 2023년 6월 28일의 연수로 알게 되었다.
갑과 을은 성별로 정해지지 않고 가지고 있는 권한의 크기에 의해서 결정되는 것 같다.
현재(2023년 5월 이후) 갑조교는 을교수에게 절대 갑질을 하고 있다.

후에 을교수는 상식적으로 사회적 통념상으로도 법적으로도 갑조교의 행태에서 새로운 대안을 생각해야 한다고 생각했다. 그리고 나중에 기획국장 이하늬 교수도 강하게 해야 할 필요를 느낀다고 조언해주었다. (그때 을교수는 강하게 대처하는 것도 생각했는데 상처뿐인 승리가 될 것 같다고 했다. 이런 사안은 보통 그렇게 된다.)

부총장은 업무 때문에 왜 갑조교에게 갔냐고 물었다. 갑조교가 생각하기에 그냥 자기가 예뻐서 관심을 가지고 온다고 생각하는 것 같다. (을교수는 참 어처구니가 없었다. 4월에 보낸 갑조교의 이상한 쪽지로 인해 갑조교는 이미 을교수에게는 무의미한 존재이다.)

현재 한국세계윤리사관대학교에서는 똑똑하고 예쁘고 친절하고 젊은 유 교수가 을교수와 함께 한국세계윤리사관대학교 졸업반을 맡아서 2년째 많이 도와준다. 대학교부터 10년 이상을 알고 지낸 지식이 풍부하며, 지혜롭고, 똑똑하고 생각이 깊으며 허물없이 대화하는 대만과 모로코에서 함께 근무한 교육국장 김태희 교수가 있다. 대만세계윤리사관대학교에서부터 알고 지내고, 다시 아프리카 모로코세계윤리사관대학교에서 함께 교육을 했던 같은 대학원을 졸업한 역시 지혜롭고, 생각이 깊으며, 똑똑하고, 키가 크며, 밝고, 상냥한, 달리기를 잘하며, 운동을 좋아하며, 모로코세계윤리사관대학교 교직원 탁구 대표로 함께 참여했던 기획국장 이하늬 교수가 있다. 별 상관은 없지만 생도들에게 한국 음악을 알려주려는 국악 강사도 있다. 국악 강사는 큰 키에 밝은 웃음, 친절한 미소, 반짝이는 눈빛, 예절을 갖춘 대화, 배려하는 모습 등이 그냥 생활화 되어있다.

이 글을 읽으면서 보면 위에 언급된 동료 교수들을 어떻게 하려는 것이 아니다. 사회적 통념상 상식적인 수준에서 훨씬 더 유쾌하고 즐겁게 한국세계윤리사관대학교에서 생활을 할 수 있다는 것이다.

사실 갑조교에게는 아무런 생각도 없었다. 어떻게 들어도 기분이 나쁘겠지만 관심 1도 없다. 관심이라는 단어도 이상하다. 그냥 관심 밖이다. 아니다 그냥 생각없다. 을교수에게는 더 잘 지내야 하고 을 교수를 위해주는 소중한 다른 교직원들이 많이 있다. 관심과 배려는 상대적인 것이다.

혹시, 갑조교가 이 문장이 기분나쁘다고 할 수 있다. 또는 여성운동을 하는 사람들도 기분 나쁘다고 할 수 있다. 관심을 가져도 기분나쁘고 관심이 없어도 기분 나쁘고....

을교수가 갑조교에 대한 것은, '관심없다.'가 아니라 '생각에도 없다.'가 정답이다. 그래서 부총장의 면담에서도 갑조교라고는 아예 생각도 못한 것이다. 또 5월 26일 위원회에서도 갑조교라고는 아예 생각도 못했다.

사실, 위원회의 내용은 너무 중요한 내용인데, 너무 갑조교 일방적이다. 그러나 을교수에게는 매우 불리하다. 특히 세계윤리사관대학교의 교수직을 가지고 있는 을교수에게는 더욱 그렇다.

을교수의 생각 변화 1

황당 > 당황 > ~~~ > 만행

위원회 내용에 대한
6월 이후의 을교수의 갑조교에 대한 생각이다.

5월에는 큰 생각이 없었다. 그냥 넘어가야하는 안좋은 기억 정도
라고 생각했다.

그런데 시간이 지나면서, 갑조교의 어처구니 없는 요구는 을교수
의 생각을 바꾸게 했다.
그리고 갑조교의 숨겨진 이중적인 본 모습을 조금의 관찰 정도로
도 어느 정도 분석할 수 있었다.

처음에는 별 생각없었으나, 본인은 그렇지 않다고 할지 모르나,
살의를 가지고 을교수에 대해 위원회에 알린 갑조교는 증기로 밀해
야 한다.

살의라고 이렇게까지 표현하며 을교수가 생각하는 이유는 갑조교
의 두 번째 위원회 신고 또는 클레임 때문이다.

석탄일

<석탄일을 보내다.>

위원회의 내용은 을교수에게 상당히 큰 정신적 육체적 스트레스를
줬다. 트라우마가 되었다. 수면 부족도 왔다.

몸무게가 바로 70kg 밑으로 빠졌다. 근 15년 만의 최저 몸무게다.
이것도 사진 찍어놨다.

이때부터 증거가 될 만한 것은 기록하고, 사진을 남기기 시작했다.

그 후 을교수의 몸무게는 계속 빠져서 67kg 대 까지 빠졌다.
　주위에서는 다이어트 하냐고, 성공했다고 했다.

　특히, 허물없이 지내는 교무국장 김태희 교수와 기획국장 이하늬
교수는 웃으면서 부럽다고 했다.

나중에...

교무국장 김태희 교수와 기획국장 이하늬 교수는

그리고 나중에 사실을 듣고 정말 힘들었을 것 같다고 위로해 줬다. 그리고 건강 잘 챙기라고 다시 한번 위로해 줬다.

다시 열린 위원회

< 5월 30일 다시 위원회가 열리다.>

이런 일이 있으면 않되겠지만,
이런 일에 휘말리면, 정말 곤란한 상황이 된다.

특히 로마 바티칸과 관련된 세계윤리사관대학교의 교수에게는 더
그렇다.
(아니다. 현재 한국의 모든 남자는 다 그렇게 된다.)
세계윤리사관대학교의 교수는 상당히 유능하며 다 방면에서 전문
성을 가지고 생도들을 지도한다. 그런데 ~~~

그래서 을교수는 갑조교가 원하는 데로 서약서를 써 주고 대학교
생활을 하려고 한다.

변호사를 대동해도 상처뿐인 승리가 된다. 결국은 ......

그래서 서약서 작성과 몇 가지 이행 조건으로 이날은 지나갔다.

을교수는 세상 살다 별일을 다 겪는다고 생각하고 쓸쓸히 위원회
장소를 나왔다.

을교수는 그냥 참으면서 넘기기로 했다.

을교수의 생각 변화 2

황당 > 당황 > ~~~ > 다행 > 씁쓸함 > 참음

갑조교의 2번째 클레임

그런데 이것이 끝이 아니었다. 갑조교의 2번째 위원회 신고 또는 클레임은 을교수의 심경에 커다란 변화를 가져왔다. 그냥 좋은게 좋은 것이 아니구나. 을교수는 자구책을 생각했다. 그 자구책은 나중에 기획국장의 조언과도 일치했다.

강하게 자구책을 생각할 것이다.

혹시 갑조교는 그냥 넘어가니 을교수가 이렇게 생각하는가 생각할 수 있다.

지금 적는 내용은 5월 위원회 이후로 계속 생각한 것이다. (7월 28일 금요일 11시 30분 급식실 사건이 있으면서는 확실해졌다.)

을교수는 법을 좋아하지 않는다. 을교수 본인을 법 없이도 살아갈 사람이라고 스스로 생각한다. 주위에서도 그럴 것이다. 아니면 '법이 보호해줘야 할 사람이다.'라고 생각할 것이다.

이렇게 이야기 하는 것은,
갑조교는 이 정도면, 처음부터 증거를 가지고 위원회에 찾아가야 한다. 그러므로 을교수는 갑조교 때문에 그냥 힘들어 하는 것이다.

을교수가 법을 따지는 사람은 아니다. 그런데 을교수가 빠져나갈 방법은 법 뿐이다. 법은 증거로 말한다.

이후 을교수는 갑조교와 을교수에 대한 대학교 생활을 기록했다. 갑조교의 행동을 기록할수록 갑조교는 불리해졌다. 대단히 신경써서 조심히 관찰하는 것도 아니다. 그냥 일상 생활에서 보이는 단순한 것들이다. 그것 조차에서도 갑조교에 대한 단서를 아주 쉽게 찾을 수 있었다. 갑조교의 이중적이고 가식적인 것을 알 수 있는 것들이 쉽게 나타났다. 을교수는 평소 그대로 이다.

이렇게 되면 갑조교는 여자라는 우월한 위치를 이용하여 을교수에 갑질을 했다는 결론이다. 갑질도 보통 갑질이 아닌 절대 갑질이며, 아주 악의적이다. 갑조교의 내용은 소설이라고 해도 할 말이 없을 정도이다.

소설이라고 까지는 일반인들은 생각할 수 없다. 그러나 갑조교의 행동을 의미론적으로 분석하면 소설이라고 할 수 있으며 소설의 결과는 살의를 가지고 있다고 할 수 있다.

예를 들면, 계곡살인 이은해, 전 남편 살해 고유정, 또래 살인 정유정 등은 소설이 아닌 현실이다. 소설을 넘어서 이미 실행을 했다.

사실 소설로도 어려운 일이다. 그러나, 계획을 가지고 실행했다. 갑조교도 마찬가지이다. 살의는 없었다고 하나, 성관련으로 하면 살의가 있는 것이다.

성관련으로 사람을 엮으면, 생물학적 살인, 사회적 살인, 공동체적 살인을 하는 것이다. 사회적 통념상, 상식적인 것을 악의적으로 워딩하여 엮는 것이다. 갑조교가 그것을 실행한 것이다.

　다행히 을교수는 갑조교에 의해서 쓰여지는 을교수를 옥죄이는 소설이 현실로 실행되지 않도록 자구책을 마련했다. 자구책을 마련해준 사람은 교무국장 김태희 교수와 기획국장 이하늬 교수의 위로와 조언이 컸다.

상담교수와의 다시 면담

: 이 상담은 을교수에게 많은 심경의 변화를 주었다.

<6월 상담 교수가 다시 면담을 요청하다.>

면담 내용은,

을교수의 갑조교에 대한 태도 및 생활에서 피하지 않는다는 내용이다.

의무 교수는 코로나19에 걸려 출근하지 않은 상황이다.

갑조교는 참았어야 한다. 갑조교 자신에게 호의적일것이라고 생각되는 위원회와 콜롬비아 세계윤리사관대학교부터 갑조교가 알고 있던, 재무처장과 부총장이 있기 때문이다. 사실 재무처장과 부총장은 각국에 있는 세계윤리사관대학교에서 중추적인 역할을 한다. 특히 한국세계윤리사관대학교에서는 총장이 로마 바티칸 전출로 인한 부재로 부총장의 지위와 위치가 막강했다. 특히 갑조교가 한국세계윤리사관대학교에 온 2023년은 총장이 바티칸으로 가기위해 3월부터 자리를 많이 비워서 부총장의 지위와 위치가 더 컸다. 특히 한국세계윤리사관대학교는 세계에 3개뿐인 대학원 편제를 가지고 있고 장학국이 있는 중요한 세계윤리사관대학교이다.

갑조교의 행동은,

이제는 사과의 문제를 넘어선다는 생각이 들기 시작했다.

이것은 갑조교가 인지하던, 인지하지 못했던, 의도가 있던, 의도가 없던,

살인 의도가 포함되어 있다.

특히, 갑조교의 요청 내용을 보면 그렇다. 그래서 일지를 적고 일지에 느낌을 적었다. 일지에 느낌을 적은 것은 객관성을 떨어뜨리지만, 어떻게 보면 일지의 해설이라고 볼 수도 있다. 그리고 상황을 복기하며 갑조교에 대해서 다양하게 이해하려고 한다.

갑조교의 요청 1

대학본부 사무실에서 갑조교를 봤는데 을교수가 피하지 않았다는 것이다.

그날의 상황은 이렇다.

갑조교는 대학본부 사무실에 종 종 시간을 보낸다. 갑조교 대학본부 사무실에 있기 때문에 특기적성 관련 일을 부총장하고 상의하려고 한번 지나갔는데 갑조교가 있었다. 혹시 갑조교가 대학본부

사무실에서 나왔을까 하고 20분이 지나서 다시 방문했다. 을교수가 가진 시간의 한계가 와서 어쩔 수 없이 대학본부 사무실에 들어간 것이다. 사실 업무의 차질이 심하다.

이때 재무처장, 교무 조교, 부총장, 의무 교수가 있었던 것으로 기억한다.

이때의 상황은 총장의 바티칸 전출로 인해 부총장에게 이야기 해야 했다.

그런데, 갑조교가 놀란 듯이 일어나서 자리를 피하는 것이다.(갑조교의 액션일 확률이 높다.) 갑조교 특유의 바쁜 듯 하면서 특유의 종종 걸음으로 놀란 듯 하면서 자리를 피했다.(이것을 명확히 정의한 것은 2023년 7월 28일 11시 30분 경 급식실에서 확실해졌다. 그전까지만 해도 그냥 바뻐보이는 듯 걸음걸이였다. 이것은 갑조교가 자신을 바쁘게 사는 사람이라고 일반에게 하는 간접적으로 작게하여 스며들게 하는 가스라이팅하는 일부분 중의 하나이다.)

을교수는 시간적 한계 때문에 다시 나오지 못하고 부총장하고 특기적성국 일을 의논했다.

이것이 상식적으로 통념적으로 을교수가 잘못한것인가? 이것을 다시 위원회에 신고했다. 신고한 이유는 을교수가 갑조교를 피하지 않는다는 것이다. 여기서는 회의라고 순하게 돌려서 표현하겠지만, 통상적으로는 아침 시간에 차를 마시며 이야기하는 과정이다. 보통의 사람이라면 처음 5월의 신고도 없었을 것이고, 6월에 이것으로 다시 신고하지는 않았을 것이다.

6월의 신고는 보는 사람도 많았다. 사실 그 자리에서 을교수와 업무로 이야기를 나눴던 부총장도 갑조교의 반응으로 놀랐다. 그런데 그것으로 다시 신고를 한 것이다.

차를 마시며 이야기하는 과정과 업무를 하는 과정 어느 것이 중요한가?

갑조교가 주장하는 것 들은 이런 것이다. 첫 번째 위원회 신고도 이런 것일 확률이 높다. 특히 2023년 5월 14일 총장 바티칸 전출 환송회에 있었던 일은 더욱 그렇다. 식사 중에 발이 스쳤다고 한다. 이것을 터치라고 워딩했다. 을교수는 스침이 있었다는 사실도 인지하지 못하고 있었다. 그렇다면, 장학국 사무실에서 있었다고 갑조교가 주장하는 을교수의 스침도 그렇다. 터치라고 워딩하는 것 자체가 문제가 있다.

최소한 과장된 표현이다. 그런데 이것을 신고로 하니 을교수의 입지가 줄어드는 것이다.

그래서 을교수의 장학국 사무실 방문이 싫은 갑조교의 소설이라고 생각되는 것이다. 갑조교에게는 미안하지만, 갑조교는 사회 통념상 상식적이고 일반적이지 않다.

그리고 가식적인 면이 많이 있다. 그것이 관찰되고 있다.

가장 기본인 출근에 관한 근무 상황도 그렇다. 을교수가 파악한 2024년 1월의 근무도 그런 것 같다. 출근의 흔적이 미약하다. 특히, 자신과 친분이 있다고 생각되는 부총장이 근무하고 있으면 그런 것 같다. 부총장은 갑조교를 배려해주는 따뜻한 사람이다.

자신에게는 무지 관대한 갑조교이다.

갑조교의 요청 2

시청각실에서 을교수가 갑조교와 대면했는데 피하지 않았다는 것이다.

상황은 이렇다.

2022년 한국세계윤리사관대학교 졸업생도들이 한국세계윤리사관대학교 대학원에 진학하였다. 대학원에 진학하여 만든 영화 발표회를 하니 작년에 4학년 졸업반 생도를 담당했던 을교수, 유 교수, 박교수와 몇 몇 교직원을 시청각실로 초대한 것이다.

을교수는 목요일이 되면, 점심 식사를 하고 조회대를 거쳐서 필로티를 거쳐서 중정을 지나면서 생도들을 관찰한다.

조회대를 뒤돌아 보면 가끔 대학본부 사무실 내부가 보인다. 갑조교는 그 시간에 대학본부 사무실 그 곳에 종종 있다.

대학원에 재학중인 생도를이 영상을 상영하는 그 날도 을교수는 조회대를 거쳐서 필로티를 거쳐서 중정을 거쳐서 현관문을 통과하여, 교실로 향했다. 교실로 향하던 중, 작년에 을교수가 지도한, 졸업한 생도들이 대학원 생활을 하면서 제작한 대학원생들의 작은 영화 상영 참가 요청이 생각났다, 별생각없이 시청각실을 들어갔다. 영화 상영이라는 타이틀 답게 팝콘 냄새가 났다.

우선 상황은 다음과 같다. 을교수는 밝은 곳에 있다 왔다. 시청각실은 영화 상영으로 어둡다. 극장처럼 동선이 길어서 어둠에 익숙할 수 있는 구조가 아니다. 문을 열고 들어가면 바로 어둠이다.
을교수는 시청각실에 들어가니 팝콘 냄새가 나고, 어두웠다. 어둠에 적응하면서 전면에서 상영되는 영상을 봤다.
갑자기 갑조교가 밖으로 나갔다. 특유의 종종 걸음으로 놀란 듯하며 나갔다. 지난번 대학본부 사무실에서 있었던 그 모습 그대로 특유의 모습이다. 을교수는 어둠에 익숙해지지도 않을 정도의 짧은 시간이었다.
갑조교가 거기에 왜? 지난번 대학본부 사무실과 같은 상황이다.

거기에는 작년에 졸업반 졸업 생도를 함께 지도했던, 박 교수, 유 교수, 대학원 생도 담당 교수, 의무 교수가 있었다. 을교수가 대학원 생도 담당 교수와 잠깐 인사하고, 유 교수에 팝콘도 있다고 이야기 하는 아주 짧은 순간에 있었던 일이다.

갑조교의 요청 1과 요청 2에 나오는 특유의 종종 걸음, 바쁜 듯한 행동, 놀란듯한 표정은 2023년 7월 28일 11시 30분 정도 갑조교의 어처구니 없는 행동을 보고 생각해내고 정리하게 되었다.

갑조교의 행동은 을교수의 관찰로 인해 어렵지 않게 의미론적으로 분석되었다. 다행이다. 을교수에게는 억울함을 풀 수 있는 단서가 되기 때문이다.

이날 갑조교의 여러 가지 생활 및 행동 패턴이 정의 되었다. 이것은 갑조교 특유의 주변에 대한 간접 가스라이팅으로 활용된다. 이전에는 어렴풋한 이미지 정도만 있었다.

갑조교의 요청 3

생도들의 강의와 생활지도 등을 담당하는 을교수는 시간의 사용이 한정적이다. 갑조교는 교수진에 비해 시간이 자유롭다. 그래서 교수진이 움직이는 시간은 비슷하다. 그런데, 그 와중에 지나치면서 마주치는 것도 을교수가 조심하지 않는다는 것이다.

어떨지 모르겠지만 사회 통념상, 상식선에서 벗어난다. 일부러 갑
조교가 있는 곳에 가는것도 아닌데, 생활의 반경을 이렇게 줄이는
것은 너무 한다는 생각이 들었다.

그래서, 을교수도 그간의 생활을 복기하면서, 갑조교에 다양한 생각
을 하기 시작했다.

특히, 조심스러운 터치 부분이다. '터치'라는 용어도 바꿔야 한다.
스침 또는 닿음 정도이다. 터치는 해석은 비슷하지만 의도성을 담
은 용어로 와전될 수 있다. 갑조교는 을교수의 기억에도 없는 스침
을 가지고 터치라고 하면서 위원회를 열었다.

혹시 갑조교의 소설이면 어떨지? 갑조교는 장학국 사무실에 누군
가가 방문하는 것을 극도로 예민하게 싫어한다.

상식적으로 생각하기에는 갑조교의 생활은 사고는 일반적인 사회
적 통념을 벗어났다.

그리고, 을교수는 법이나 증거를 좋아하지 않는다. 그러니 위원회
에 이야기 하는 것은 증거에 입각하지 않는 갑조교의 일방적 진술
이다. 위원회를 열 정도의 사안이라면 증거와 함께해야 한다. 갑조
교의 위원회 내용은 뉴스에 나올만한 사안이다. 을교수는 갑조교의
일방적 진술에 의해 이미 수 많은 피해를 보고 있다. 정신적으로

육체적으로 대인 관계에서도 마찬가지이다.

소설이라고 하면 과할거라고 생각할지 모르겠지만 갑조교의 태도는 심하고 생각해볼만하다. 특히 2번째 상담교수의 이야기를 들으면서, 강하게 해야할 지도 모르겠다는 생각을 했다. 기획국장 이하늬 교수도 강하게 하는 것은 어떠냐고 조언을 하기도 했다. (후에)

다시한번 상기한다. 갑조교의 행동은 계곡살인 이은해, 전 남편 살해 고유정, 또래 살인 정유정 등과 비슷하다. 사실 위의 사건은 소설이라고 해도 믿기 어려운 것들이다. 그러나 소설이 아닌 현실이다. 소설을 넘어서 이미 실행을 했다. 갑조교가 했던 을교수에 대한 태도도 의도가 있던지 없던지 결과는 같다. 너무 비약한다고 할 수 있다. 그러나 갑조교도 이미 을교수에게 너무 비약했다.

남성을 성적으로 엮는 것은 생물학적 살인, 사회적 살인, 공동체적 살인이다. 죄가 있다면 모를까 어거지로 엮는 것은 그 자체로 큰 범죄를 짓은 것이다. 갑조교가 그렇다.

부총장과의 다시 면담

　부총장은 갑조교의 클레임으로 위원회가 많이 힘들다고 표현하였
다. 이 말을 분석해보면 갑조교는 상당히 위원회를 압박한다고 볼
수 있다. 그런데 갑조교가 위원회를 압박하는 것은 현재 사회적으
로 갑조교가 유리하다고 생각하기 때문인 것 같다.

　과연 정말 갑조교가 유리한가?　혹시, 갑조교 혼자의 생각인가?
아니면 누군가의 조언?

　지금처럼 갑조교에게 조언을 하는 사람이 있다면, 갑조교는 조언
해주는 그 사람은 손절해야 한다.
　조언까지는 아니더라도 공감하는 사람이 있다면 역시 마찬가지이
다.
　갑조교에게 명확히 해줬어야 한다.

　아니면, 갑조교와 비슷한 성향의 유유상종? 그럴 수도 있다.

을교수의 생각 변화 3

갑조교의 2번째 클레임으로 갑조교에 대해서 다시 생각하게 되었
다.

상담교수와 부총장의 면담 후, 특히 부총장의 면담 후 위원회가
많이 힘들다는 말을 듣고 다시 생각하게 되었다.

황당 > 당황 > ~~~ > 다행 > 씁쓸함 > 참음

악의적이다 > 살해의도가 있다 > 자구책을 마련해야 한다.

강하게 대응해야 한다 > 강하게 대응한다는 것은 법적으로?

갑조교의 주장은? 증거가 있나? 이 정도 사안이면 증거가 필요
하다. 그냥 그러는 것은 많이 그렇다. 말이 되지 않는다.

갑조교의 이중적 모습을 알 수 있는 결정적인 행동

2023년 7월 28일 11시 30분 급식실에서, 이날 갑조교의 여러 가지 생활 및 행동 패턴이 정의 되었다. 이것은 갑조교 특유의 주변에 대한 간접 가스라이팅으로 활용된다. 이전에는 어렴풋한 이미지 정도만 있었다.

특유의 하이톤의 웃음 소리, 목소리
　　　　　　이것은 대학본부 사무실에서 종종 들린다. 을교수가 업무를 위해 대학본부 사무실을 방문하려고 하면 갑조교의 특유의 하이톤의 목소리와 웃음소리로 갑조교의 유무를 알 수 있다. 그리고 을교수는 대학본부 사무실 방문을 미룬다.

특유의 종종 거리는 발걸음 : 갑조교를 바쁘게 사는 듯한 사람으로 보일수 있게 한다.

약간은 엉거주춤한 행동 : '바쁘게 움직임으로 인해 아직 허리를 제대로 펴지 못할 정도로 열심이다. 그만큼 바쁘다.' 정두로 생각하게 만든다.

2023년 7월 28일 11시 30분 정도 갑조교의 어처구니 없는 행동 :

이 날은 2023년 들어 처음으로 11시 20분에 생도들과 함께 식사를 시작한다. 기존에는 13시 이후였다. 11시 27분 정도 드디어 식판을 챙겼다. 이때 3학년 생도를 관리하는 교무국장 김태희 교수가 을교수보다 뒤에 서야하는 경우가 발생했다. 3학년 생도, 을교수, 4학년 생도 몇 명, 그리고 교무국장 김태희 교수가 서는 형상이다. 지도교수의 위치는 보통은 담당 생도 앞이나 뒤가 된다. 그래서 허물없이 김태희 교수에게 을교수 앞에 서라고 했다. 을교수 앞이면 김태희 교수가 담당하는 생도 바로 뒤가 된다.

김태희 교수는 식당에서 자리를 양보하는 것은 엄청난 대인배라고 농담을 주고 받으며 배식을 받았다.

갑자기 누가 인사하는 소리가 들렸다. '그동안 식사 감사했습니다.' 하면서 움직이는 실루엣이 있었다. 특유의 하이톤, 엉거주춤 모습, 바쁜 듯한 종종 걸음 갑조교였다. 갑조교의 행동이 정의되는 순간이다.

아니 을교수가 급식을 받으려고 있는데 거기까지 와서 그러는 행동은 무엇인가? 갑조교가 피하지 않는다고 클레임을 걸었는데, 을교수는 어처구니가 없어했다.

이때 갑조교의 옆에는 위원회에 속하는 상담교수가 앉아서 식사를 하며, 총장, 부총장, 등 생도를 담당하지 않는 교직원들이 갑조교와 식사를 하는 것을 알 수 있었다. 점심시간은 갑조교의 간접적 가스라이팅의 시간이며 갑조교의 간접적 가스라이팅의 장소이기도 한 것이 되었다.

을교수는 한국세계윤리사관대학교에서 갑조교보다 우월한 지위에 있어 보이지만 갑조교의 간접적 가스라이팅은 대학교 내에서 전방위로 펼쳐지고 있다는 것을 알 수 있었다.

이것을 본 교무국장 김태희 교수와 기획국장 이하늬 교수는 어떻게 생각할 것인가?

별 생각 없었을 수도 있다. 그러나 을교수가 그때 급식실에서 있었던 갑조의 행동을 이야기하면 가증스러워 할 것이다.

갑조교는 특유의 하이톤 목소리와 엉거주춤 하는 모습, 바쁜 듯한 종종 걸음이 있다. 또한 말리지 않은 젖은 머리로 종종 출근한다. 바쁜 것일 수도 있으나, 대부분의 교직원은 그렇지 않다. 그리고 교직원 휴게실에 차 찌꺼기를 몰래 버린다. 아닐 수도 있지만 정황상 갑조교가 가장 근접하다. 라면 찌꺼기도 버렸다고 생도들이 주장한다.

그리고 을교수를 신고한 것은 갑조교를 아주 선명하게 설명한다.

상담교수의 조언

을교수는 상담교수에게 어떻게 해야할까 조언을 구했다.

상담교수는 을교수가 무조건 피하라고 조언했다. 대학에서 생도들과 함께 하는 것도 중요하지만 이런 상황이 되면 갑조교의 요구에 따라 행동해야지 그렇지 않으면 지난번 위원회와 같은 상황이 발생하여, 훨씬 불편함을 준다고 했다.

<을교수는 상담교수의 조언을 듣기로 하다.>

상담교수의 조언대로 생활하는 을교수의 대학생활

<상담교수의 조언대로 생활하는 을교수의 대학생활>

을교수 주위의 지인 교수들이 힘들어 한다. 특히, 대학과 대학원을
함께 나오고 오랜 시간 여러 곳에서 근무하는 교무국장 김태희 교
수는 그냥 화해하고 잘지내라고 하고, 표정이 않좋다고 했다. 역시
같은 기간 대학생 생활을 하고, 같은 곳에서 사회 경험을 하고, 대
학과 대학원을 함께 나오고 여러 곳에서 근무했던 기획국장은 요즘
살이 많이 빠졌다고, 하면서 다이어트 하냐고 물었다.

　을교수는 대학본부 사무실을 잘 방문하지 않는다. 갑조교가 거기
에서 간접적으로 작은 가스라이팅을 하고 있기 때문이다. 특히, 재
무처장, 교무 조교, 부총장, 의무교수가 대상이다. 갑조교와의 그 일
이 있은 후, 을교수가 대학본부 사무실을 한번에 방문한 적은 없다.
갑조교가 본인이 있는데 을교수가 들어온다고 생각하겠지만, 우선
지나가면서, 상황을 살피고 대학본부 사무실에 들어간다. 그런데 갑
조교는 종 종 있다. 장학국 사무실은 상당히 멀다. 을교수의 연구실
과 비슷한 위치에 있다.

　6월 생도들의 간식 관련해서 재무처 사무실에 들렸다. 갑조교와
마주침을 피하기 위해 동선을 바꿔서 돌아간다. 재무처 사무실에

가는 길에 대학본부 사무실에 있는 갑조교를 발견할 수 있었다. 생도들의 간식 관련 처리가 잘 되지 않아서 다음 날 다시 재무처에 갔다. 역시 갑조교는 대학본부 사무실에 있었다.

갑조교가 대학본부 사무실에 있는 것은 쉽게 알 수 있다. 갑조교 특유의 하이톤 목소리와 하이톤 웃음소리가 들리기 때문이다.

갑조교가 대학본부 사무실에 자주가는 것은 교수에 비해 강의가 없기때문일 것이다. 그래서 나름 편한 대학생활을 한다고 볼 수 있다. 또한 담당하는 생도가 없기도 하기 때문이다.

조금은 편한 장학국 조교 업무라서 그럴 수도 있다. 본인은 그렇다고 하지 않을지 몰라도 을교수는 그렇게 생각할 수 밖에 없다. 이 글을 읽는 다른 필자도 그럴 것이다. 특히, 현재 한국세계윤리사관대학교 상황은 총장이 부재중이다.

갑조교는 아메리카 콜롬비아세계윤리사관대학교에서 함께 근무해서 부총장과 재무처장을 알고 있고, 친분이 있다.

6월초 생도들을 인솔하는 과정에서 갑조교를 피하기 위해 동선을 돌아가는 길을 선택하기도 했다. 그러다가 생도가 충돌하여 넘어져서, CCTV를 확인하는 상황이 발생하기도 했다.

미안함

　을교수는 한국세계윤리사관학교에서 중요한 업무를 담당하고 있는 교육국장 김태희 교수와 기획국장 이하늬 교수에게 특별히 더 많이 미안해하고 있는 상황이다. 물론 함께 졸업반 4학년 생도들을 담당하고 있는 김교수와 유교수에게도 미안하다.

　을교수가 처한 상황을 이야기 해야할 것 같았다. 을교수는 2학기 쯤으로 생각하고 있었다. 을교수는 다른나라의 세계윤리사관대학교로 전근을 생각하고 있다. 이렇게 한국세계윤리사관대학교의 교수 생활을 하는 것은 너무 힘들기 때문이다. (2023년 7월 30일 이후에는 강하게 해야할지 다른 방법도 생각중이다.)

　이러한 것은 갑조교는 결코 생각하지 못할 것이다. 자기가 지금 어떤 상황을 만들고 있는지.... 그리고 이러한 것이 어떤 나비 효과가 나타나는지....

　그런데, 2023년 6월 28일 수요일의 일이다. 사실 이 날은 을교수의 생일이다. 상담교수의 조언대로 생활하면서 갑조교를 피하고 있는 중이다. 그런데 교직원 연수 및 회의가 대학 본부 회의실에서 있다는 것이다. 을교수는 모든 갑조교가 있을 활동을 피하는 중이다. 혹시 을교수 때문에 갑조교 자신의 활동이 위축된다고 다시 위원회에 신고할지 모르기 때문이다.

7월 1일에 총장이 새로 부임한다는 연락이 왔다. 사실 을교수는 9월에 총장이 오길 바랬다. 지금 현재의 상황이 너무 힘들기 때문이다.

그래서, 6월 28일 수요일 을교수의 생일에 교직원 연수와 전달사항이 이루어 졌다. 교직원 연수는 역시 을교수가 생각하는 내용이었다. 을교수 멀리 뒤에서 갑조교가 을교수를 바라보는 느낌이 들었다. 마치 사냥을 준비하는 들개의 눈빛으로....

연수 내용 중에 직장 내 갑질이라는 내용이 있었다. 직장내 괴롭힘이라고도 한다. 위원회만 생각했던 을교수는 직장내 절대 갑질을 당하고 있는데, 이것을 소송할까 하는 생각도 하는 중이다. (1개월 뒤 2023년 7월 30일에는 을교수의 심경의 변화가 일어나고 있다. 그리고 이 글의 끝의 내용이 강하게 바뀔 수도 있다고 생각이 들었다.)

이때(6월 28일 연수 및 전달사항을 들으며), 이 내용을 글로 쓰는 것은 어떨까 생각하는 계기가 되었다.

갑조교는 자신이 여자라는 이유로 지금 절대 갑질 중이다.

절대 갑질이라는 표현이 과한지 과하지 않은지는 입장을 조금만 바꿔서 생각해봐도 알 수 있다. 을교수의 입장이 아니라, 자기 주위에 있는 친분이 있는 남자로만 놓아도 된다. 아버지, 남편, 남동생, 아들, 오빠, 형 등 소시민의 삶을 살고 있는 남자는 누구나 될 수 있다.

갑조교의 절대 갑질 증거는 있다. 절대 갑질을 위해 갑조교가 신고한 것이 그 증거가 된다. 갑조교의 자가당착이다. 자기가 파 놓은 함정에 빠지는 것이다. 여기서 더 진행되어 소송으로 번지면, 을교수는 무고죄와 명예훼손을 추가 할 수 있게 된다.)

이날은,

평소랑 다르게 을교수는 4학년 졸업반 교수인 유교수와 김교수와 앉지 않고 3학년 교수진과 함께 동석했다. 3학년과 4학년은 교수진이 3명이라 다른 교직원이 같은 테이블에 앉을 수도 있어서 을교수가 혹시 갑조교와 동석할까봐 취힌 행동이나.

모든 교직원이 이상하게 생각했을 것이다.

모든 교직원이 이상하게 생각하는 것이 위원회에 가는 것보다는 피해가 적다. (이것도 7월 30일 이전까지의 생각이다. 이후는 강하게 할 것이다.)

연수가 있고나서 작은 다과회가 있었지만 을교수는 갑조교가 거기에 있기 때문에 자리를 피했다. 을교수는 평소 밝고 예의 있으며 사회 생활을 무난히 한다. 갑조교의 비상식적이고 통념적이지 않은 행동으로 인해 을교수는 많이 힘들다. 그래도 을교수는 그 길을 택했다.

갑조교의 행동은 을교수의 생활주변, 생활반경을 많이 옥죄인다. 다행히 상담교수의 조언이 컸다.

그리고, 소송이 붙지 않는 한 상담교수의 조언이 최선이다.
교무국장 김태희 교수의 2023년 6월 28일의 조언대로 하는 화해는 이미 불가능하다.(1개월의 시간이 흐른 7월 30일에는 강한 대응의 결말도 생각한다.)

새로운 총장 부임

<7월 1일 토요일 새로운 총장이 부임하다.
  그리고 7월 3일 월 새로운 총장 인사 자리가 있다.>

  총장이 새로 온다고 하니, 아침 환영 인사의 자리가 있을 것으로 생각된다. 역시 7월 3일 월요일 총장이 전 교직원과 함께 간단한 인사자리가 있으니 참석하라고 연락이 왔다.

  을교수는 걱정이 되었다. 참석해야할지 말지로 고민을 했다. 주말 내내 고민하다가 결국은 참석하기로 했다. 사실 7월 3일 월요일 새벽 3시까지 고민했다. 이렇게 고민한다고 누가 믿어줄까 해서 을교수는 자신의 카톡에 내용을 남겼다. 또 갑조교가 카톡을 조작했다고 할까봐, 달의 사진을 찍었다. 7월 3일은 음력으로 5월 16일이다. 7월 3일의 새벽 3시의 달은 음력 5월 15일 보름의 달이다. 달이 참 이쁘지만 한편으로는 고민의 흔적을 위해 사진을 찍어서 증거를 삼는다는 것이 서글펐다. 그래도 글을 쓰기로 마음먹은 이상 계속 기록할 것이다.

  7월 3일 아침 새로운 총장과 간단한 인사자리가 있었지만 그 시간은 정말 긴것처럼 느껴졌다.
  그래도 어쩔 수 없었다. 을교수는 다른 졸업반 생도 지도 교수들과 앞에 있었다. 또 갑조교가 보고 있겠지..... 을교수는 생각했다.

총장이 부임했으니, 회식도 있을 것이다. 을교수는 우울해 했다.

업무의 차질

<업무의 차질이 크다>

을교수는 보직교수이다. 생도들의 특기정성을 담당하는 특기적성국 국장이다. 여름방학 대학교 공사도 있었다. 이런 것들이 있음에도 대학본부 사무실 방문하기가 어려워졌다.

특기적성 관련 시스템의 변경이 6월에 있었다. 이로인해 업무의 차질이 발생하고 있다. 터덕이고 있다. 갑조교의 얼토당토 안한 위원회 요청으로 을교수는 진흙탕을 걷고 있다.

신임 총장 부임 후 3가지 사건

총장이 새로 부임한지, 3주도 되지 않아 을교수가 지도하는 졸업반 생도들에게 3가지 큰 일이 있었다.

치아 손상 1건, 도서관에서 CCTV 확인 요청, 화장실 사고 이다. 이것은 을교수에 대한 임계치에 빨리 다다르게 한다. 그런데 갑조교 때문에 임계치에 쓸데없이 다가갔다.

대학본부 사무실 방문이 어려워져서 새로 부임한 총장과 부총장의 소통의 차질이 있다. 갑조교는 너무 대학본부 사무실에 자주 오래 있다. 교수진들은 강의를 하고 쉬는 시간에 조각 시간을 내어 대학본부 사무실을 방문한다.

더욱 중요한 것은 갑조교가 간접적 가스라이팅을 시전하고 있다. 주위에 자기는 좋은 사람이라고 하는 것처럼. 본인은 그렇지 않다고 할 것이다. 그러나 결과는 그렇다.

부총장 그리고 교무 조교, 재무 처장에게 간접적 작은 가스라이팅이다. 가끔 의무 교수도 있다. 대학본부 사무실에서 이루어 진다.

총장이 새로 부임했는데 아마 간접적 작은 가스라이팅을 시전하고 있을 것이다.

가스라이팅이라고 하면 확대 해석한다고 할 수도 있다. 그러나, 갑조교의 대학본부 사무실 점령은 일반 교수진에 비하면 확실히 가스라이팅에 효과가 있다. 대상도 중요하다. 총장, 부총장, 재무처장, 대학본부 사무실 조교이다. 어떻게 보면 대학의 핵심 고위직이다.

아마 총장, 부총장, 재무처장, 대학본부 사무실 조교는 간접적 가스라이팅을 당하는지 모를 것이다.

한국세계윤리사관대학교에서, 이 정도 지위와 인원의 구성이면 간접적 작은 가스라이팅의 효과는 확실히 있다.

2023년 7월 28일 금요일 11시 28분 경 급식실에서 갑조교의 간접적 작은 가스라이팅을 하는 것을 알게 되었다. 갑조교 주변에서 많은 교직원이 식사를 한다.

갑조교는 자기가 좋은 사람이라고 간접적으로 작은 가스라이팅을 하고 있다. 그러나, 스침을 터치라고 워딩하여 사람을 절대적으로 곤란하게 하고, 이 곤란함이 살의를 띈 다는 것은 결코 바른 사람이라고 할 수 없다. 그럴 의도는 없다고, 몰랐다고 변명해도 결과는 같다.

갑조교 항변의 자리 만들기

이 자리는 갑조교에 대한 변론의 자리이다. 여기 변론은 그냥 감정적인 호소의 자리가 아니다. 울면서 억울하다고 해도 곤란하다. 우는 연기 정도는 을교수도 충분히 할 수 있다. 갑조교가 주장하는 정도의 중요도가 있는 사안이라면, 갑조교가 억울해하는 것을 증거로 증명해야 한다.

을교수는 갑조교의 이중적인 성향을 알 수 있는 것에 대해 많은 것을 수집했다. 갑조교는 심지어 공직자로서의 기본인 근무태도도 엉망이다.

갑조교가 정말 억울한가 이다. 그 정도 사안인가? 통념적, 상식적, 법률적으로는 갑질, 직장내 괴롭힘, 무고죄, 명예훼손 등에 해당된다.

다만 다행인 것은 위원회가 갑조교를 다독여서 일이 더 크게 진행되지 않아서 이다. 이 정도 글로 마무리 된다.

만약 일이 더 크게 진행되었으면 간단하다. 갑조교에게 을교수에 대한 증거를 제출하면 된다. 그냥 간단하게 해결된다. 증거가 없으면, 이제 거기에 대한 책임을 지면 된다. 그 책임은 결코 단순하지 않을 것이다.

 갑조교는 을교수가 그냥 이 정도에서 물러나서 이 정도 글을 쓰는 것으로 멈추는 좋은 생각이 깊은 인품을 가진 소유자라는 것을 감사해야한다. 만약 갑조교와 같은 겉과 속이 다른 부류로 생각이 짧은, 약간은 다혈질의 인품의 소유자였다면, 그냥 5월에 소송으로 둘다 진흙탕 길을 걷고 있고, 증거가 없는 갑조교만 힘들어졌을 것이다.

 역으로 갑조교가 을교수를 이상하게 본다고 고충 위원회에 신고를 해야할 판이다. 그리고 2차 가해라고 주장해야 할 판이다.

갑조교의 신고내용을 생각하기 :

갑조교에 대한 생각과 갑조교와 함께 하는 삶

독자라면
일반 지인이라면
친한 지인이라면
천륜으로 엮였으면
애인이라면
부부라면
며느리라면
자녀의 결혼으로 엮일 시어머니 또는 장모가 된다면

결론 : 천륜이 아니면 피해라. 가식적인 모습에 속아 언제 마음 고
생하게 될지 모른다.

을교수에 대한 생각과 함께 하는 삶

독자라면
일반 지인이라면
친한 지인이라면
천륜으로 엮였으면
애인이라면
부부라면
사위라면
자녀의 결혼으로 엮일 시아버지 또는 장인이 된다면

결론 : 그냥 평범한 사람이다. 적당하게 큰 어려움 없이 살 수 있다. 또한 주위에 이런 갑질로 피해 당하는 사람이 없는지 확인해라.

　　힘들었을 거다 위로해 줘라.
　　사회적으로 문제 삼아야 한다.
　　일반 갑질이 아니다. 악질 갑질이다.

갑조교에 대한 생각 및 분석 이후 갑조교에 대한 행보

- 가식적이다. 문자나 쪽지를 살펴보면 알 수 있다.
- 신고한 것으로 보면 생각이 깊지 않다. 자기만의 세계가 있다.
- 특히 두 번째 총장 환송회의 일과, 2번째 위원회의 신고 또는 클레임
- 쓰레기 처리
- 식당에서의 모습은 어렴풋했던 갑조교의 이미지를 확실하게 정의하게 해줬다.
- 근무 형태. 기본적인 출퇴근을 지키지 않는다.
- 소리 웃음소리 종종 걸음 바쁜 듯하며 하는 행동
- 젖은 머리(머리가 젖은 상태로) 출근하기   등

을교수는 갑조교에 대해 용서의 생각은 없다. 그런데 그냥 이렇게 놔둔다. 귀찮다. (더하면 생각이 변한대로 또한 기획국장 이하늬 교수의 조언대로 그냥 강하게 할 것이다.)

혹시 갑조교가 어리석어 일을 더 키운다면, 이제는 적극적으로 죄를 물을 것이다.

변호사를 통한 재판비용과 손해 보상, 정신적 스트레스, 명예훼손 등 모든 죄를 물을 것이다.

인간적으로 보면,
갑조교도 정신적 고통과 육체적 고통을 당해야 한다.
을교수가 얼마나 마음적 고통과 육체적 고통을 컸을까!

갑조교가 주위에 간접적 작은 가스라이팅을 하고 있지만, 갑조교의 본 모습은 조금만 자세히 갑조교의 행동을 의미론적으로 분석하여 보면 알 수 있다.

음식물 처리, 작은 문구하나, 생노늘에게 하는 행동, 공과 사의 구별 못함, 종종 보이는 젖은 머리, 근무 형태 등

혹시 갑조교가 누구에게 조언을 구하고 해동한다면, 확실히 도움

이 될 수 있는 사람에게 조언을 구하기를 바란다. 괜히 주변에 어리석고 감정적이고 즉흥적이고 생각이 얕은 사람에게 조언을 구하면 이제는 소송 뿐이다.

을교수는 마음이 따뜻한 사람이고 친절하지만 치밀하다. 뒤에 첨부하는 갑조교에 대한 일지의 내용과 분석한 것을 보면 알 수 있다.

비록, 마음 고생이 육체적 고통이 심했지만 참았다. 주위에 자신의 억울한 처한 현실을 이해해달라고 부탁한 것은 7월에나 있었다. 그전까지는 그냥 감내했다.

용어의 정리가 필요하다. 스침을 터치로 악의적으로 엮은 것은 크다.

갑조교의 특유의 모습 모음

　하이톤의 밝은 듯한 가식적인 웃음 소리 (대학본부 사무실 밖에서도 들림)
　이 웃음 소리는 얼핏 들으면 밝아 보이나, 갑조교의 종합적인 행동을 분석해보면 가식적인 하이톤의 웃음소리라고 충분히 생각할 수 있다.

급한듯하게 인사하는 듯하는 모습

　바쁘게 인사하는 듯하는 모습과 자리를 떠나는 모습
　　그냥 바쁜 척하는 듯한 모습을 보이는 경우가 눈에 띈다.

약간은 바쁘게 걷는 듯한 득유의 발 걸음

　특유의 자세가 있다.

말리지 않은 젖은 머리

종종 눈에 띈다. 일부러 찾는 것은 아니다. 뭐가 그리 바쁜지? 생도의 강의가 있는 교수들도 그렇게 다니는 경우를 본적이 없다.

약간 바빠서 못말리는 듯한 머리가 아니다. 관리를 못한 젖은 긴 머리이다. 느낌을 글로 설명하는 것이 어렵다.

주변의 간접적 가스라이팅.

특유의 하이톤의 목소리와 웃음소리, 그리고 바빠보이는 모습은 갑조교를 긍정적으로 보이게 한다.

음식물 찌꺼기 버리기

이것마저도 갑조교이면 곤란하다. 그러나 정황상 거의 맞다.

갑조교의 생활반경

대학본부 사무실 : 간접 가스라이팅의 주된 장소 : 대상 총장, 부총장, 재무처장, 대학본부 조교, 의무교수

급식실 : 다시하번 간접적 가스라이팅 : 생도 훈육 교수가 아니면 갑조교의 간접 가스라이팅에 당한다.

그냥 친절함으로 생각하기 쉽다.

가끔 보이는 특유의 바쁜 듯한 걸음걸이 모습은 신뢰감을 줄 수 있다.
이때 젖은 머리는 정말 바빠 보인다.

그러나 을교수에게 행한 행동은 갑조교의 선하게 포장하는 모든 것을 부정하게 만드는 모습이다.

선한 사람은 그정도의 일로 그렇게 하지 않느다. 아니다. 보통의 사

람 조차도 그렇지 않는다.

   여기서 갑조교는 되고, 을교수는 않되고 이런 것은 공정하지 못하고 공평하지 못하다.

   특히, 갑조교의 생각은 살인적이다. 갑조교가 본인은 의도하지 않았다고, 갑조교가 나는 세상을 그렇게 살지 않는다고 항변해도 곤란하다. 갑조교의 을교수에 대한 행동의 결과는 살인적으로 향하고 있다.

2023년 7월 28일 금요일 11시 30분

갑조교에 대해서 명확하게 생각하게 된 결정적인 날이다.

급식실에서 갑조교가 다른 사람들에게 한 행동의 1/10이라도 을교수에게 했으면 이런 불편한 상황은 되지 않았을 것이다.

그래서 갑조교가 가식적이라는 것이다. 누구에게 인간적으로 예의 있게 하지만, 누구에게는 정말 잔인하게 대하는 것이다. 이것을 의미론적으로 분석하면, 결국 누구에게 인간적으로 예의 있게 한 것은 가식적으로 예의 있게 하는 척 한 것이 된다.

음식물 찌꺼기 처리, 젖은 머리로 출근은 갑조교의 또 다른 면을 알 수 있으며, 갑조교의 하이톤의 목소리와 웃음은 친절을 빙자한 가식적인 모습이라 유추할 수 있다. 또한 종종거리며 걷는 약간은 엉거주춤한 바쁘게 걷는 듯한 모습 역시 가식적인 모습이라 유추할 수 있다.

이것은 갑조교를 계속해서 관찰하고 의미론적으로 분석해야 알 수있다. 사실 필요없는 일이지만 을교수는 자구책으로 어쩔 수 없이 의미없는 소비적인 일을 해야만 했다. 을교수에게는 큰 손실이다. 을교수가 연구하고 있는 프로젝트도 터덕이고 있다. 갑조교의 다른 사람에게하는 1/10의 배려도 없는 행동으로 인해 소모적인 일을 하고 있다.

을교수가 연구를 하지 못하고 터덕이는 것은 국가적 손실이기도 하다.

2023년 7월 31일 월 08:55 전후

    을교수는 특기적성 프로그램 진행상황을 알기 위해 방학임에도 불구하고 출근했다. 별 생각없이 대학본부 사무실에 갔는데, 갑조교가 젖은 머리와 안경을 쓰고 흰 티를 입고 있었다.
갑조교는 방학중에도 젖은 머리로 출근한다.

    대학본부 사무실 조교가 갑조교가 장학국 사무실 공사로 인해 갑조교가 대학본부 사무실에서 근무한다고 귀뜸해줬다.

    이것으로 인해 을교수는 갑조교와의 불편한 관계가 생각보다 퍼져있을 것이라 추측했다.

서울신문 2023년 7월 31일 기사

7월 31일 주호민 작가를 향한 글 중에 마음에 와닿는 부분이 있었다.

"주호민, 제자 대변 치워봤나"…울분 토한 현직 특수교사

입력 :2023-07-31 07:57 | 수정 : 2023-07-31 08:49

"나도 장애 가족 일원이다. 오늘이라도 사과하라."

웹툰작가 주호민이 자폐 스펙트럼 아들을 담당한 특수교사를 아동학대로 신고한 가운데, 현직 특수교사가 "아무리 생각해도 금도를 넘었다"라며 공개적으로 비판했다.

경기도교육청 소속 배재희 특수교사는 30일 자신의 페이스북에 "당신과 나"라는 제목의 글을 게재하며 "나도 장애 가족 일원이다. 근데 아무리 생각해도 당신은 금도를 넘었다"라고 지적했다.

배 교사는 주호민을 향해 "버스에서 대변 본 지적 장애 제자. 그 아이 놀림 받을까봐, 손으로 얼른 주워 담은 것 상상해본 적 있나? 자폐장애 제자가 몰래 ○○해서 □□한 거 어디 여학생이라도 볼

까봐 얼른 휴지로 닦고 숨겨줘 본 적 있나?"고 물으며 "난 그런 게 단 한 번도 역겹다고, 더럽다고 생각해본 적 없다. 나 같은 볼품없는 특수 교사도 그 정도 소명은 영혼에 음각하고 산다"고 말했다.

그는 "나도 교사로 살며 말도 안 되는 분에 넘치는 축복과 칭찬 받아봤지만 '설리반'이란 말까진 못 들어봤다. 주호민 당신은 건드리면 안 되는 걸 건드렸다. 인간의 '자존' 말이다. 제일 추악한 게 밥그릇으로 사람 괴롭히는 거다"라고 분노했다.

배 교사는 "주호민 당신이 구상한 대로 설리번 선생님을 끝끝내 파멸시키면, 나도 사표 쓴다. 소송의 공포에 시달리느니 스스로 분필 꺾는다. 내 나라가 당대 교육자들에게 특수교육 이만 접으라고 선언한 걸로 기꺼이 받아들이겠다"라고 선포했다.

이어 "이번 일 겪으며 우리 동문들이 그렇게 정신과 많이 다니는 거, 입원까지 한 거 처음 알았다"며 "우리 특수교사 후배들, 그 학력에, 그 월급 받고 차마 못할 일 감당하고 산다. 동료들 생각하면 지금 이 순간도 눈물 난다"고 토로했디.

그러면서 "눈물 닦으며 쓰는 글이다. 빨리 사과해라. 당신이 지금 벌이는 짓이 사람 갈구는 일진 놀음이지, 어디 정상적인 민원인가"라며 "그게 지금 소송에 갈 일인가, 이렇게 한 사람을 파멸시켜서

당신네 부부가 얻는 게 무엇인가"라고 강하게 비판했다.

주호민 고발 사건 파문…주호민 작가 방송도 차질이 생겼다.

배 교사는 다른 게시물에서도 "주호민씨. 당신 사과가 그럴 듯해 (피해자 학부모가) 받아준 거 아니다"라며 "그 선생님이 자기 일처럼 용서 비는 모습이 상상이 안 가시나. 저도 제 학생이 성추행 저질렀을 때 제가 아이를 잘못 가르쳤다고 피해 부모님께 엉엉 울었다"고 꼬집었다.

그는 자신의 전임 특수교사도 '성추행'으로 한 남학생 학부모로부터 신고를 당했다며, 다른 경도의 지적 장애학생이 친구의 주장을 조목조목 반박해 무고함이 드러났다고 전했다.

그러면서 "그 선생님은 인수인계 마칠 때 '배 선생님. 그나마 내가 여교사였으니까, 똘똘한 아이가 증언해줘서 살았어. 안그랬음 나 꼼짝없이 당했어. 배 선생님. 정말 조심하고 살아요'라고 말해줬다"라며 "세상은 생각보다 훨씬 잔혹하고 구조적으로 무대책이며 가당찮을만치 미쳐 있다"고 비판했다.

앞서 주호민은 지난해 9월 경기도 용인 모 초등학교의 특수교사 A씨를 경찰에 고소했다. A씨는 아동학대 범죄 처벌 등에 관한 특례법 위반 등의 혐의로 기소돼 재판에 넘겨지면서 직위해제됐다.

이 과정에서 주호민의 아들이 바지를 벗는 등 돌발행동을 해 학교 폭력 사안으로 접수가 된 사실과 아내가 자폐아들 B군의 가방에 녹음기를 켠 상태로 등교시킨 것이 알려지며 교권 침해 논란이 확산됐다. 학부모와 교사 등은 특수교사 A씨를 위한 탄원서를 제출한 것으로 알려졌다.

파문은 방송가로도 번져 주호민이 기안84와 함께 출연하는 웹 예능 프로그램도 공개 예정 날짜에 방송되지 못했고, 주호민의 사전녹화 분을 편집하지 않고 그냥 내보낸 다른 프로그램에도 항의가 빗발쳤다.

김유민 기자

 주호민 작가 사태(논란)를 보면서 느낀 것이다.

전체적으로 좋은 이미지 였다.
그러나, 행실은 그렇지 않았다.

주호민 작가는 꼭 그렇게 까지 했어야 하나?
갑조교도 마찬가지다.

전체적으로 보면 갑조교의 의도는 악의 또는 살의가 없었을 수도 있다. 그러나 결과는 악의와 살의로 나타났다.

주호민 작가의 재판은 양면성을 가지고 있다. 누구를 갑으로 봐야하는 것이 옳을까 생각하게 하는 부분이 있다.

사건 시작 : 주호민(갑) vs 교사(을)
　　개인과 개인의 문제
사건 공론화 : 주호민(을) vs 교사(갑)
　　개인과 단체의 문제
사건 1차 재판(2024. 2. 1,) 후 : 주호민(피해) vs 교사(피해)
　　주호민 작가는 자신의 감정을 현명하게 하지 못했기 때문에 많은 피해를 입었다. 조금만 참고, 조금만 배려를 했으면 좋았을 것 같다. '신과 함께'라는 이미지가 있다.
　　교사는 억울함의 부분을 넘어서는 사과와 보상을 주장해서 역풍이 예상 된다. 과도한 사과(주호민 작가의 입장)와 위자료 청구(정신적 위자료 포함)는 교사의 생각을 넘어선 이익 단체의 무엇인가 보이지 않은 힘이 작용된 듯 하다.

　　같은 사건인데 갑과 을이 수시로 변하는 느낌이다.

2023년 08월 01일 화요일

　특기적성 방학프로그램을 확인하러 왔지만, 갑조교 때문에 대학
본부 사무실을 가지 못했다.
　어제는 몰라서 갔지만 오늘은 갑조교가 출근하는 것을 안이상 발
걸음이 쉽게 떨어지지 않는다.

갑조교의 여름방학 중 근무태도 및 복무

2023. 08.17. 목요일

갑조교는 메신저에도 출근 표시가 없고, 일일근무상황목록에서 출근하지 않는다는 표시가 없다. 대학본부 사무실에 부총장이 있음에도 가지 않았다.

2023. 08.18. 금요일

갑조교는 메신저에도 출근 표시가 없고, 일일근무상황목록에서 출근하지 않는다는 표시가 없다.

갑조교가 출근하기 전에 부총장을 만나고 왔다.

8월 16일 수요일도 비슷한 복무를 보이고 있다.

16~18일까지 3일을
갑조교는 부총장과 개인적 친분을 이용해서 복무를 스스로 유연하게 하고 있는 것 같다.

개인적으로 17일과 18일 출근하여서 보이는 갑조교의 복무 느낌이다.

정상적으로 방학중 복무를 했으면 갑조교에게 미안하다. 그러나, 합리적인 의심이 되는 갑조교의 방학중 복무는 확인할 방법이 많다. 대학교내 CCTV, 대학교 정문 CCTV, 건물 출입구 CCTV, 갑조교 집 또는 집 주변 CCTV, 휴대전화 기지국, 휴대전화 위치 서비스, 카드 사용내역 등 확인할 수 있는 자료는 많다.

갑조교는 자신에게는 유연하게 남은 잔인하게 생명에 지장을 줄 수 있을 정도로 그런 부류의 사람으로 생각된다.

하여튼 대학본부 또는 세계윤리사관학교 총본부에 연락하면 좋을 듯 하다.

2023.08.18. 금

복무 느낌

2023년 7월 8월 갑조교의 대학원 생활

갑조교는 자신의 발전을 위해 대학원을 다닌다. 대학교에 근무하기에 방학 기간을 이용할 수 있다.

방학중 대학원 수업은 3주에 걸쳐서 이루어 진다. 오후 13:00에 대학원 강의가 시작한다. 바쁜 외중에 방학의 오전 시간은 나름 여유 있게 사용할 수 있다.

갑조교는 대학원 수학을 위해 매일 조퇴를 해야했다. 그런데 13:00부터 조퇴를 낸 것이다. 대학원 강의는 13:00부터 시작한다. 물리학적으로 불가능하다. 결국 복무에 허점이 발생하는 것이다.
또, 출장을 내고 대학원 수업에 참여한 흔적이 보인다.
대학원의 수업일수를 채워야 하는데 모든 수업일수를 연가를 사용하기에는 그랬을 것이다.
그래서, 시간과 출장을 교묘히 이용한 듯 싶다.
그냥, 넘어갈 수 있다. 그러나 갑조교가 을교수에게 한 행동을 생각하면, 윤리적으로 책임을 져야한다. .이런 것이 부메랑이다.

이렇게 연가를 많이 사용하니, 연가 일수가 부족할 수 밖에 없다. 그래서 앞에서 기술한 것처럼 근무에 약간의 유동성을 배려하여 유연적으로 근무했다는 합리적 의심이 든다.

　의심에 대한 증명 방법은 많다. 요즘 스마트폰 위치 추적이 너무
잘 되어서 기지국 등 알아보면 되고, 또, 카드 사용 내역 등을 이용
하면 된다.

갑조교의 장학국 사무실 청소

2023.08.23. 수

갑조교가 장학국 사무실 청소를 했다. 바람직한 현상이다. 근무하는 곳을 치우는 것은 아름답다. 특히, 내부 공사로 인하여 먼지와 같이 청소해야할 것들이 많이 있을 것이다.

 장학국 사무실에서 정수기를 지나 화장실 앞 입구에 밀대 걸레를 빨을 수 있는 장소가 있다.
 화장실 앞에 물이 흥건했다. 그리고 그 물의 흐름은 장학국 사무실로 향하고 있었다. 화장실 앞은 생도들이 많이 통행하는 곳이다. 특히 화장실 진 출입으로 인해서 병목현상이 발생하고 혼잡스럽다. 그곳에 물을 흥건히 했다.
 조금만 규모가 있는 전국적 규모의 매장은 젖은 바닥 습기 관리를 철저히 한다. 그곳에서 넘어지는 손님이 발생하면 매장에서 배상을 해야하기 때문이다.
 그런데, 물이 흥건했다. 수업의 휴식 시간에 을교수는 화장실갔다. 화장실 앞에 물이 아까보다 더 흥건했다.

 갑조교는 뭔가 성실함을 표방하는데 약간은 기본적인 배려를 하지 않는 자기 중심적이다.

2023년 2학기의 시작 다짐

　을교수는 심리적 압박감에서 불구하고 다행히 논문을 8월 말 마
감 시한에 맞추어 제출했다.
　9월에 좋은 결과가 있으면 한다.

　그리고,

　마음을 추수리고,
　평소에 하던 연구와 연구에 따른 집필작업을 하기로 결심한다.

　을교수는 평정심을 찾으러 노력을 많이 하는 중이다.
　연구, 집필, 운동, 정신 수양 등

　그런데, 막상 2학기가 시작되고, 갑조교와의 생활이 계속된다면
많이 힘들 것 같다.

　갑조교는 어떨까?

　아마 가식적인 이중적인 모습으로 주변을 간접적으로 가스라이팅
하며 보낼 것이다.

갑조교가 을교수에게 한 행동의 정의

수가 틀어지다.

갑조교는 을교수에게 수가 틀어져서 그런 잔혹한 행위를 한 것이
다. 의무교수와 생도에 관한 면담 중에 의무교수가 사용한 표현인
데, 갑조교와 을교수와의 관계를 설명하기에 딱 적당한 표현이다.

을교수의 대학생활

2023년 9월 7일에 있었던 일이다.

을교수는 의견 제시를 최소화하고 있다. 그래서 예산 사용 계획의 반려도 그냥 지나쳤다. 을교수는 총장이 예산 목록을 꼼꼼히 보고 있다는 것을 이미 알고 있었다. 그럼에도 불구하고 관점의 차이로 인해 반려된 것이다. 관점의 차이는 상당히 추상적이다. 그래서 총장도 할 말은 있을 것이다.

예산 사용 계획이라는 것이 보통 10일 이상의 시간이 들어간다. 그런데 다시해야하다. 관점의 차이일때는 그냥 결재해도 된다. 큰 틀에서 변화가 없다. 대동소이하다. 그러나, 결국 다시 해야한다. 그래서 비슷한 내용을 위해 다시 10일의 시간이 추가되었다. 20일이면 거의 한 달이며, 1년의 1/12정도 된다.

회의에 참석해서도 의견제시를 최소화한다. 합리적이지 않은 방향의 회의에서도 네거티브의 인상을 주지않기 위해 그냥 참는다. 마지막에 핵심만 제시한다. 결국 회의가 길어진다.

교육계에서 들려오는 자살 소식

2023년 9월은 교육계에서 자살 소식이 많이 들린다. 대학교 교육계는 아니지만 지금까지 참아왔던 교사들의 참음이 표출되고 있는 것 같다.

을교수도 자신의 처지를 한탄하지만 스스로 마인드 컨트롤을 하고 있다.

갑조교의 주차

갑조교는 을교수의 차 옆에 바로 주차를 했다. 갑조교는 을교수
와 인사조차 하기 싫다고 하던 갑조교다.

을교수의 직장 생활을 비상식적인 방법으로 옥죄인 갑조교의 행
동으로 맞지 않다.

갑조교의 이런 행태는 많이 그렇다.

을교수가 대학본부 사무실에서 업무상 대화하고 있는 도중 갑조교의 대학본부 사무실 방문

2023년 9월 22일 일지 참고

퍼저가는 소문

　을교수는 갑조교가 억울하다고 퍼트린 악의적인 소문이 퍼지고
있다는 생각이 들었다.

　갑조교가 억울하다고 하는 것은 조금만 생각하면 억지라는 것을
알 수 있다. 이 책에 소개되는 갑조교의 행동을 조금만 물음표를
하면 갑조교에 대해서 쉽게 알 수 있다.

　을교수는 이제 갑조교의 악의적인 행동에 대한 대응이 필요하다
는 생각이 들었다.

을교수는 똥 밟았다는 표현은 맞을까?

을교수와 갑조교 사이에서 똥밟았다는 표현은 맞지 않다. 똥밟았다는 표현 자체가 을교수와 갑조교의 뭔가를 내포한다. 을교수는 거기에 동의 할 수 없다.

갑조교의 악의적 연출이 정답이다.

나비효과

    갑조교의 만행으로 6월을 힘들게 보낸 을교수의 6월 지도 내용
이 11월에 제출할 인사 서류에서 빠진다는 것이다.

인사 서류 제출 포기

을교수는 2023년도 인사 서류 제출을 포기했다. 갑조교가 인사서류 제출 소식을 듣고 심경의 변화를 일으켜 을교수에게 다시 클레임을 걸까봐 그랬다.

'설마 갑조교가 그럴까?' 이렇게 생각할 수 있다. 그러나 갑조교는 그럴 가능성이 있다. 그런 사람이기에 을교수를 그렇게 궁지에 몰아 넣은 것이다. 갑조교가 그냥 보통으로 생각해서 넘어간다면 을교수의 기우일지 모른다. 그런데, 그 미약하나마 갑조교가 클레임을 제시할 가능성이 현실이 되면 그 파괴력은 을교수에게는 절대적이 된다.

이번에는 을교수도 함께 갑조교에게 강력하게 대응하겠지만, 지금까지의 갑조교와 관계를 위해 한 을교수ㄴ 노력이 물거품이 되기에 그냥 서류 제출을 포기한다.

을교수의 대응의 방향은 대충 이렇게 된다. 일단 무고죄부터 시작한다. 무조죄에 따른 명예훼손이다. 그리고 직장내 갑질이다. 그리고 직장내 가혹행위이다.

그리고 추가로 갑조교의 자유분방한 근무 태도도 함께 제시할 것이다. 이미 지난 여름의 근무 상황은 저장되어있다. 대학원을 이유로 물리적으로 맞지 않은 복무, 출근하지 않고 출근한 것 이미 증거는 확보했다. 그리고 인사 기록에도 있다.

물론 자주 젖은 머리로 출근하는 것은 평소 갑조교의 생활 모습을 말해준다.

음식물(라면, 차 찌꺼기) 쓰레기도 마찬가지다.

정수기 앞 젖은 복도를 만든 것도 함께 제시 한다.

갑조교가 을교수에게 제시한 수준 높은 도덕적인 수준은 스스로에게도 동등해야 한다. 사실 을교수를 궁지에 몰아넣은 것은 거의 없는 것을 만들었다고 봐도 무방하다.

어디 인권 단체, 환경 단체, 여성 단체, 종교 단체 등에서 활동하는 사람들이 이런식으로 사람을 엮는다. 갑조교는 근무 특성상 여기에 연관되어있거나, 최소한 영향을 받았을 확률은 거의 100%이다.

갑조교의 재무처 사무실에서 남직원과의 행동

  갑조교는 재무처 사무실에서 특유의 하이톤 목소리로 남직원과
대화를 했다. 갑조교가 주위를 가스라이팅 하는 모습이다. 갑조교의
이중적인 모습이다.

  특히, 을교수가 재무처장과 대화하는 도중에 일부러 보란 듯이
재무처 사무실에서 남직원과 대화하고 행동하는 갑조교의 특유의
모습은 을교수를 결심하게 했다.

을교수를 바라보는 다양한 모습

1. 억울한 소송의 피해자
2. 이상한 남자
3. 나쁜 범죄자

갑조교를 바라보는 다양한 모습

1. 범죄의 피해자
2. 이상한 여자
3. 못된 여자
4, 억울한 소송을 하는 가해자

갑조교의 탄식

갑조교의 생각 : 그 때 2023년 5월 을교수에게 기회(?) 또는 생각할 시간을 주지 않고 진행했다면 어땠을까? 여기서 기회라고 워딩하는 것은 스침을 터치로 워딩하는 것과 비슷한 뉘앙스를 가지고 있다. 기회라는 표현이 이상하지만 그냥 특별한 용어가 생각나지 않아서 사용한다. 기회(?)라는 표현은 갑조교에게 유리한 표현이다. 중립적인 표현이 필요하다.

  혹시, 그때의 시절을 후회할지 모른다.
  그러나, 정말 후회해야 할 것은 갑조교의 생각과 행동이다. 또는 주위에서 갑조교에게 조언을 한 사람을 생각을 받아들인 갑조교 자신이다.

  지금처럼 소설로 쓰여지며 갑조교의 본성이 구체적으로 드러나지는 않았을 것이다.
  그래도 큰 본성은 드러난다. 누구에게 물어봐라! 스침을 터치로 악의적으로 워딩하여 소시민적인 일반의 남성을 궁지에 몰아넣는다는 것을.... 주변에 약간의 친분이 있는 남성이 있는 사람에게, 이런 말도 않되는 해프닝에 수가 틀려서 엮이면 다 남성이 않되고 안타깝고 불쌍하다고 하고, 응원해준다.
  그 반대편의 여성은 본성을 의심하고 다들 피하려고 한다. 남성

뿐만이 아니라 여성도 마찬가지다. 혹시 함께 하는 사람은 그런 부류이다. 유유상종이라는 말이 괜히 있을까?

을교수가 이렇게 고민할 필요없이, 그냥 법정에서 둘다 진흙탕 싸움을 하면된다. 을교수는 편했을 것이다. 을교수로 마음고생하지 않았을 것이다. 을교수 본연의 연구를 했으면 된다.

힘든 것은 을교수만 힐들것이라고 생각하면 오산이다. 이렇게 조언한 사람이 주변에 있다면 갑조교는 그 사람을 피해야 할 것이다. 갑조교가 선한 사람이라는 조건하에서 그렇다. 그러나 보통은 유유상종이다.

이렇게 참으면서 글로 쓰는 것이 갑조교에 대한 어마어마한 배려라는 것을 알았으면 좋겠다. 혹시 갑조교가 주위에 을교수가 아직도 정신을 못차렸다고 했을 때 여기에 동조하는 사람과는 잘 평생 살아가고, 동조하지 않는 사람은 갑조교가 손절하기 바란다.
그런 제대로 정신이 있는 사람이 굳이 갑조교와 같은 부류의 인간과 엮일 필요가 없기 때문이다.
갑조교에게 손절당하는 사람은 하늘이 주신 기회로 알고 주변에서 갑조교와 같은 사람을 멀리하기 바란다.
수가 틀리면 언제나 남을 힘들게 하는 사람이다.
세상에는 을교수처럼 보통으로 살지만 성실히 사는 사람이 많이 있기 때문이다.

갑조교는 누군가가 장학국 사무실에 방문하는 것을 싫어하는 사람이다. 업무 특성상 그렇기 힘들다. 그리고 예민하게 받아들인다.

갑조교 자신의 삶은 바람직하지 못하다. 근무 태도, 생활 습관, 생각하는 것 등이 그렇다.

특히, 방학 중에 물리적 시간을 초월하여 조퇴를 하거나 대학원 수업을 받는 것은 더 그렇다. 아니면, 친분을 이용하여 복무를 하지 않고 자리를 비우는 것은 더 그렇다.

갑조교가 을교수에게 요구하는 도덕적 수준으로 스스로를 반성하며 생활하기를 바란다.

그러나, 갑조교는 이미 많은 부분 본 모습이 드러났다.

이야기의 끝

2023년 12월 20일 수요일에 재무처 사무실에서 갑조교는 을교수에게 가식적인 모습으로 재무처 남직원과 대화를 했다. 이 모습은 을교수에게 상당히 기억에 남았다. 갑조교가 을교수에게 그 정도의 반만 했더라도 이런 상황은 되지 않았을 것이다.

그리고 이날 교직원 전체 회식이 있었다. 을교수는 갑조교의 일로 인해 참석하지 않았다.

대신 커피숍에 가서 쓰고 진한 에스프레소를 2잔 마셨다. 그리고 결심했다. 아끼는 몽블랑 만년필의 스크류 방식의 뚜껑(캡)을 돌려서 열고 적기 시작했다.

을교수는 지금까지의 상황을 가지고 2023년 12월 21일 목요일 직장내 갑질 위원회 및 괴로힘 가혹행위 위원회를 찾아갔다. 성고충 위원회도 찾아갔다. 어제의 갑조교의 태도와 모습만 아니었어도 이런 일은 없었을 것이다.

어제 갑조교는 너무 자기 중심적으로 경솔하게 행동했다.

위원회 신고 내용

- 갑조교의 직장내 괴롭힘이다. 갑질도 마찬가지다.
- 2번째는 남성을 이상한 시선으로 보는 것이다. 이것은 을교수가
느낀 것이다. 갑조교는 2차 가해를 조심해야한다.

위원회 소집 1차

소집 2023년 12월 22일 금요일

2023년 12월 21일 을교수의 신고 내용으로 위원회가 열렸다.

갑조교도 당혹 스러울 것이다. 그러나 갑조교가 한 그대로 이다. 만약 갑조교가 동의하지 않으면 바티칸 갑질위원회에 찾아갈 것이다. 또한 법적인 소송도 함께 할 것이다.

을교수 : 지금까지의 행동과 특히 갑조교의 위원회 신고를 토대로 갑질 증거로 삼음. 소송도 각오함.

갑조교 : 을교수의 행동으로만 생각하고 자신이 이겼다고 생각하고 뒤통수 때린다고 생각하고 반격의 증거를 찾으려고 함.

위원회 소집 2차

2023년 12월 26일 화요일 2차 위원회 소집

  갑조교에게 을교수의 요구사항에 대해서 어떻게 할지 결정
  갑조교는 을교소의 요구사항을 수용할 것이라고 함. 사실 요구사항을 수용하지 않으면 법적 소송뿐임

2023년 12월 27일 수요일 조정위원회를 열기로 함

을교수는 그간의 스트레스로 인해 병가를 사용

조정위원회 열림

2024년 1월 2일 화요일

갑조교의 사과와 서약서를 받음

내용 :

　특기적성 장학 자유수강권 업무는 2022년까지 한국세계윤리사관대학교에서 했던 것처럼 장학국으로 원위치 : 담당은 장학국 사무실 갑조교가 한다. 하는데 특별히 어려움이 없을 것으로 생각된다.

　갑조교는 시간이 많아서 거의 매일 대학본부 사무실에 가서 상당 시간을 보낸다.

　2023년에 늘 하던 것처럼 아침 시간에 대학본부 사무실에서 대화의 장을 가진다. 늘 하던 것 처럼 주 2회 이상 이야기 나눈다.

　이때 업무차 방문한 특기적성국장 을교수를 보면 피하지 말고 서로 인사한다.

　다른 공간에서도 피하지 말고 서로 인사한다.

　교직원 회의는 을교수 보다 앞 쪽에서 참석한다.

대내외 교직원 행사에 적극적으로 참석한다.

을교수의 서약서 내용은 갑조교의 평상시 활동에 절대 영향을 주지 않도록 배려하였다.

갑조교의 서약서는 인사 금지 및 일체의 아는 체 금지와
함께 있는 장소 피하기 등 이였다. 대조적이다.

을교수의 인품이 보이는 서약서의 내용이다.

을교수는 마지막으로 갑조교에게 이중적으로 살지 말며, 세상을 조금 더 아름답게 보며, 서로를 배려하며 생활하기를 요구했다.
또한 갑조교로 정신적으로 어려움이 있으면 치료도 받으라고 조언했다. 특히 갑조교는 업무 특성상 대인 관계가 많이 있으니 대인 관계법도 배우고 개선해야 할 것 같다고 했다.
이번 일로 크리스마스와 연말 연시를 힘들게 보냈을 것 같은데, 이것은 스스로 만든 것이며, 앞으로의 인간관계에서 서로를 깊게 배려하며 생활할 것을 요구했다.

갑조교와 을교수와의 관계는 이렇게 끝나는 듯 했다.

2024년 2월 의외의 반전 1

갑조교 : 징계를 당하다

갑조교 : 을교수가 갑조교의 갑질에 관해 민원을 제기한 것으로
　　　　 알고 있음

실제는, 사실은

　여름 방학에 이어 겨울 방학에도 갑조교의 복무 태도는 엉망이었
다. 학교 CCTV를 확인하면 알 수 있다. 휴대전화 위치 추적도 가
능하다.

　이 행태를 잘 알고 있던 대학원 졸업 동기가 민원을 제기했다.
평소에 갑조교와 친하게 잘 지냈다. 그런데 그 졸업 동기가 민원을
넣었다. 평소 친하게 지내던 갑조교의 대학원 동기가 민원을 넣은
이유는 다음과 같다.
　친하게 지낸 대학원 동기가 논문을 위해 설문을 부탁했는데, 갑
조교가 설문을 거절했다. 단지 거절 때문에 민원을 제기한 것이 아
니다. 갑조교의 대학원 동기는 갑조교의 설문에 열심히 응해 줬다.

그러데 갑조교는 그러지 않았다. 그래서 갑조교에 대하여 앙심을 품게 되었다.

단지 설문지라고 할 수 있으나, 대학원 졸업을 위해 설문지를 작성해 본 사람이라면, 설문지를 배포 회수하는 일이 생각보다 녹녹하지 않다는 것을 알고 있다. 서로 상부상조한다.

그런데, 평소 치하게 지내던 대학원 친구의 설문지를 거절한 것은 정말 이상한 행동이다.(사실, 갑조교는 충분히 그럴 수 있다.)

갑조교의 근무 태도는 교내 CCTV, 정문 CCTV, 핸드폰 위치 서비스, 카드 사용 실적 등으로 인해 쉽게 증명되었다.

갑조교는 감사에서 억울하다고 했으며. 느슨하게 복무를 한 대학본부 사무실 조교도 부총장과 총장의 암묵적 허가 하에 함께 했다고 위원회에서 말했다. 꼭 그래야 했을까?
갑조교와 같은 사람들의 특징중의 하나가 물고 늘어지기이다.

감사에서 어쩔 수 없이, 대학본부 사무실 조교, 부총장, 총장에게 주의를 주려고 했으나, 을교수의 중재로 다행히 무나뇌었다.

만약에 이때 갑조교 혼자 했다고 했으면 되었을 것을 괜히 물고 늘어짐 : 이렇게 생활하는 갑조교와 같은 부류의 인간적 특징이다.

이로 인해, 갑조교는 을교수와는 상관없이 징계를 당하게 되었다. 을교수는 여러 가지 속상하고 아팠던 감정을 대승적 차원에서 용서했는데, 을교수는 하늘이 고맙다고 생각했다.

사실, 하늘은 언급할 필요도 없다. 사필귀정이다. 갑조교가 자신의 할 일을 그냥 했으면 될 일이고, 평소 친하게 지낸 대학원 친구의 설문지를 해줬으면 될 일이다. 사실 모르는 사람의 설문지도 부탁이 있으면 해주기도 한다.

특히, 을교수에게 향했던 날까로운 칼날의 검은 부메랑이 되어 갑조교에게 돌아갔다. 평소의 사소한 습관이 결정적인 때 갑조교에게 돌아간 것이다.

그런데 갑조교는 징계에도 여유가 있었다. 이미 갑조교는 대학원을 졸업하여 학위를 받아서 이를 통해 다른 대학교에 전임 강사 자리에 내정되어 있었다.

그래서 갑조교는 징계에도 별로 안타까움이 없었다.

갑조교 사표내다.(갑조교의 대학원 생활)

갑조교는 대학원 교수에게 부탁해서 허락을 받았다. 대학원 과정 중에 하나인 과제를 제출하고 수업을 완료해서 대학원의 수업 참여 및 이수에 융통성이 생겼다. 그래서 생긴 대학원 수업의 융통성을 바탕으로 친구끼리 해외 여행을 갔다.

옆에서 설문지를 부탁한 친구가 '대학원 수업 기간에 해외 여행은 위험해!'라고 조언을 해줬다.

갑조교는 짜증나는 어투로 교수님께 허락을 받았는데 왜 그러냐고 하고 쏘아 붙였다. 설문지를 부탁한 친구는 생각해줘서 했는데 갑조교의 태도로 어리둥절 했다.

그러다가 졸업 논문 설문지 사건으로 틀어지게 되었다.

결정적으로 졸업 논문 설문지를 부탁한 친구의 내성된 좋은 전임 강사 자리를 가로챘다. 갑조교와 설문지를 부탁한 친구는 2024년 2월 대학원을 함께 졸업했다. 설문지를 부탁한 친구는 평소대로 열심히 대학원 생활을 해서 좋은 강사 자리에 내정되었다.

가식적이고 특유의 하이톤으로 친화력이 높은 갑조교는 그 좋은 전임 강사 자리를 슬쩍 가져가게 되었다. 갑조교는 전임 강사로 가게 되어 한국세계윤리사관대학교의 일들을 정리하면서 기쁜 마음으로 한국세계윤리사관대학교에 사표를 제출했다.

그래서 징계에도 여유가 있었던 것이다.

자신의 전임 강사 자리를 빼앗긴 설문지 친구는 교육부와 전임 강사 대학교와 한국세계윤리사관대학교에 민원을 제기했다.

갑조교는 같이 대학원을 다닌 설문지를 부탁한 친구의 신고로 인해 수업일수 부족으로 대학원 졸업이 취소되었다. 이와 더불어 대학원 학위도 취소되었다. 한국세계윤리사관대학교에서 복무 시간과 대학원 수강 시간이 물리적으로 일치하지 않았다. 수업일수 부족으로 학기 수강이 취소되어 2학기 동안 대학원을 다시 수강해야 한다.

졸업 논문 설문지를 부탁한 대학원 친구가 갑조교본 성적이 더 좋았음에도 불구하고 갑조교가 대학 강당에 서게 되었는데 다시 원위치로 되었다.

갑조교는 한국세계윤리사관대학교에서도 사표 처리가 되었다. 평소 어려워하던 대인 관계 업무에서 벗어나 집에서 자기 관리를 하며 지내게 되었다.

2024년 을교수의 실제 생활

을교수는 모든 보직을 내려놓고 한국세계윤리사관대학교를 떠났다.

을교수는 갑조교와 같이 착한척 하면서 악하고 잔인한 사람은 못된
다.

 을교수가 떠난 이후에 갑조교가 퍼트린 을교수에 대한 소문은 교
무국장 김태희 교수와 기획국장 이하늬 교수에게 듣기로 했다.

그리고 상황에 따라서 소송도 준비하고 있다.

그리고 후에

갑조교에 때문에 을교수에게 건강에 이상이 생기면,(사실 이미 많이
생겼다.)
갑조교가 한 일을 공개해서 갑조교와 같은 부류의 사람들에 대해
경종을 울리며 사회적으로 문제 삼을 것이다.

갑조교도 자신이 한 일에 대해 이 정도 책임은 저야한다. 사실 갑조교가 했던 악의적이고 살의적인 행동에 비하면 너무 약하다.

제2부 일지

이 책은 두번째 부분은 일지의 형식을 통해 있었던 일을 기록하여 그날 그날의 사실성을 더 강조하였다. 사실성을 강조하지만 그날의 느낌과 감정과 생각도 적어서 을교수의 마음 상태, 심경의 변화 등을 극적으로 공감하고, 느낄 수 있도록 했다.

일지는 크게 시간의 변화에 맞추어 글을 쓰려고 한다. 그래도 편집의 과정에서 (새롭게 느끼거나 발견한) 당시에 느끼지 못했던 사실이나 감정 같은 것은 날짜를 밝히며 시간을 거슬러 추가하여 기록했다.

일지를 적는 과정에서 갑조교의 행동 및 갑조교의 성품에 대해서 분석할 수 있었다. 간단한 수준의 의미론적 분석을 통해서도 갑조교의 이중적인 면을 쉽게 알 수 있었다. 의미론적 분석은 어렴풋한 갑조교의 이미지를 생각을 넘어서, 말로 표현하고, 글로 정의할 수 있게 해 주었다.

책을 집필하는 과정에서 심경의 변화와 여러 가지 생각이 더해지는 느낌도 함께 적었다. 총론에서 심경의 변화가 일정하지 않는 것은 일지에서 보면 알 수 있다.

시간의 흐름이 간혹 실제와 다를 수 있다. 기억에 의존하는 부분이 있어서 그렇다.

<일지의 개요>

갑조교의 생활 일지는 갑조교의 흠을 잡거나 그런 목적이 아니다.

갑조교의 약간은 어처구니 없는 위원회 소집 및 신고, 또는 무리한 신고, 클레임, 요구에 대한 을교수의 살아남기 위한 궁여지책이다.

어쩌면 을교수가 갑조교의 행태에 대해 을교수 스스로를 보호할 수 있는 보호막을 만드는 것이다. 그러다가 약간의 보호막을 찾았다. 그나마 다행이다.

뜻하지 않게, 을교수는 일지를 적어가면서 갑조교에 대해 많은 부분을 생각하게 되었다. 갑조교의 이중적인 모습은 쉽게 간파되었다. 갑조교의 인간성 깊은 곳의 내면까지도 필요하지 않았다. 그냥 쉽게 갑조교를 분석할 수 있었다.

2023년 7월 28일 11시 30분까지 종합하여 정의된 갑조교 특유의 모습을 다음과 같이 정의할 수 있다.

좋은 사람처럼 보이려고 행동하나, 가식적이고 자기 중심적이며 착하지 않고 이중적인 모습을 가지고 있다.

주변을 간접적으로 작게 가스라이팅하고 있다.

특유의 바쁜 듯한 종종 걸음.
정신없는 듯이 바빠보이는 행동.
약각는 구부정한 허리로 급하게 움직이는 모습
놀라는 듯하며 커지는 눈
특유의 하이톤의 목소리와 특히 특유의 유쾌한 듯한 웃음
　　→ 이중적인 모습을 대표함.

젖은 머리 : 방학을 한 2023년 7월 31일에도 역시 젖은 머리. 젖은 머리로 종종 출근한다.

근무 태도 : 출퇴근이 엉망이다.

음식물 찌꺼기 몰래 버리기(아닐수도 있으나, 정황상 거의 맞음. 생도들은 정수기에 라면 찌꺼기를 버린 사람을 갑조교로 거의 추리함.) 찌꺼기가 발생하는 음료를 장학국 사무실에서 장학국 조교와

다른 교직원과 마신적도 있음.

스침을 터치로 악의적으로 워딩하여 신고하는 정도면 더 이상 갑
조교의 인간성을 더 이상 언급할 필요도 없다.

스침을 터치로 악의적으로 워딩하는 것은 갑조교에 대해서 알 수
있는 아주 중요한 부분이다. 스침을 터치로 악의적으로 워딩하는
것이 보통의 사람은 하지 않는다. 이러한 것은 흔히 말하는 무엇인
가를 바라고 행동하는 소위 꽃뱀 부류에서나 하는 행동이다.

갑조교가 특유의 하이톤 목소리로 친화력 있게 행동하나, 스침을
터치로 악의적으로 워딩하는 것 자체가 자신의 본 모습을 보이는
척도(바로미터)이다.

2023년 5월 14일 일요일 18:00 총장 환송회

　총장이 바티칸으로 발령나서, 환송회를 하는 날임. 18시에 을교수는 스미싱을 당함

　5월 14일 스미싱 당함.
　스미싱을 당한 이유는, 하필 이날 택배가 오지 않는다는 말을 들었다.
　마침, 오후 5시 45분 경에 환송회 주차장에서 택배 배송에 관한 문자를 확인하고 어플을 설치함.
　어플을 설치하는 것이 스미싱의 시작임

　'대한 택배' 라는 곳에서 '고객님 물품 반송 처리' 라는 쪽지 받고, 어플을 설치했다.
　'대한 택배' 어플 설치
　　　느낌이 오겠지만, '대한 통운' 이 정식 명칭임.
　　　대한 택배 라는 비슷한 화면의 어플이 깔렸다.

　그리고 을교수는 환송회 장소에 입장했다.

총장 환송회장에서 적당하게 자리를 잡음.

18시 46분   '작성' 문자   옴
그리고, 5월 14일 19:20분경 200,000원 결제 됨
→ 이때까지 모름

5월 14일 22시 경 인지하고 확인하고 어플을 차단했다.

2023년 5월 15일 월요일

15일 오전에 잔액을 가지고 스미싱 다시 시도

　15일 09 : 40 '잔여' 문자를 가지고 시도가 있었다.

15일은 인턴(수습 강사)강사가 오늘 날이다.

2023년 5월 15일 월요일 오후 6시 전후 장례식장 로비

　2023년 봄은 유난히 장례식이 많았다. 코로나19가 어느 정도 잡히고 나니 그런 것 같다.

　장례식장 로비에 보면 장례식장의 입구 로비에서 문상오는 사람들의 안내를 위해 망자의 사진을 개시한다. 그런데 그날 따라 을교수와 일행이 방문한 장례식장에는 망자의 사진이 없이 안내되는 경우가 많았다. 함께 간 일행들은 왜 그럴까? 일행들은 고민하면서 이야기 했다.

　그 중 함께 참석한 누군가가 요즘 장례식장 트렌드는 사진을 게시하지 않는다고 했다. 그래도 궁금해서 을교수는 물어보고 온다고 했다. 주위에서 상주나 유족에 대한 예절이 아니다고 말렸다.
　을교수는 궁금한게 있으면 연구하고, 사람들에게 불편함이 있으면 해결하려고 노력하는 교수이다. 그리고 예의도 벗어나지 않으려고 노력하며, 상황에 적합한 최선의 좋은 방법을 찾으려고 한다.

　을교수는 상주에게 질문하지 않았다. 그렇게 예의없고 몰상식한 사람이 아니다. 궁금하지만 궁금증을 해결하기 위한 최선의 빠른 해결책을 찾는다. 보통 장례식장 사무실은 장례식장 1층 로비에 있다. 장례식장 사무실에 가서 장례식장 사무실 직원에게 물어봤다.

직원은 친절하게 망자의 사진을 걸지 않는 경우는 거의 없다고 했다. 그리고 지금처럼 망자의 사진이 없는 경우는 아직 망자의 사진이 준비되지 않은 경우가 많다고 했다.

그날 장례식장에서 나오는 길에 안내판을 보니, 들어올 때 1층 로비에서 안내되지 않았던 망자의 사진이 모두 채워져 있었다.

을교수의 걸어온 길

< 이알지(李謁智) 작가는 만년필, 연필잡기 등에 관심이 있는
작가입니다. 이알지(李謁智) 작가는 을교수의 인품을 책정하기위해
평소에 관심을 가졌던 바른 연필잡기 분야에 권위있는 작가의 약력
을 저자의 동의를 받아 을교수의 인품과 을교수의 관심분야 영역으
로 설정하여 사용했습니다. >

을교수는 생도들의 바른 성장을 위해 기본이 중요하다 하며, 생
도들에게 기본인 바른 연필잡기를 연구하고 지도했다. 연필잡기 엠
블럼(문장, 문양)을 만들어 바른 연필잡기를 한 번에 인식하기 좋게
하였다.

바른 연필잡기를 위한 연구 논문을 만들어 우수 논문으로 수상하
기도 했다. 바른 연필잡기는 어릴때부터 해야 된다고 생각하여, 노
래로 만들기도 했다. 엠블럼도 만들었다.

그리고, 그 논문 내용으로 책도 출판했다.

이론과 함께 실습도 중요하다.

을교수는 바른 연필잡기의 핵심을 유튜브로 제작하고, 연습할 수
있는 연습지는 무료로 배포하여 어린 학생들의 바른 연필잡기를 도
와주고 있다.

생도들에게 늘 이야기 한다. 미세한 차이가 승부를 가른다. 미세한 차이가 나지 않는 승부는 이미 승부의 가치가 없다. 대부분 이벤트 이거나, 이벤트 수준에도 미치지 못한다. 가끔 운적인 요소가 너무 작용하여 원사이드 승부가 나기도 한다.

을교수가 지도한 생도 중에 어려움을 이겨내고 대만세계윤리사관대학교를 졸업하고, 한국의 의과전문대학원에 진학한 학생들이 있다. 여러 가지 에피소드가 있지만, 대만의 한자와 한국의 한자는 같아서 약간만 한국어를 공부하면 한국 생활에 어려움이 없다고 안내한 것이 생각난다. 대만에서 한자를 어느 정도 하면 한국에서 필담 그리고 문장을 이해하는 문해력이 우수해진다. 한국어는 한자어가 많기 때문이다. 그러면서 약간의 한국어도 함께 지도했다.

을교수가 우연한 기회에 치피향이라는 대만 남자 유학생과 한국에서 함께 수업을 한 경험이 있다. 이 시절의 대학교는 리포트와 논술 답을 쓰는 것은 대부분 손으로 했다. 치피향이라는 대만 남자 유학생의 리포트와 논술 답은 조사와 몇 몇의 특별한 한국어를 빼고는 다 한문으로 썼다. 이 정도로 대만과 한국은 비슷한 것이 있다.

이 내용을 대만 생도들에게 설명하기도 했다. 그리고 그 열매를 받아서 한국의 의과전문대학원에 진학한 학생이 있다.

단순히 한국어 단어를 외우게 한 것이 아니라, 단어가 들어간 한국어 문장을 익히도록 했다. 의과 전문대학에 진학한 생도들은 한국어 공부도 열심히 했다. 후에 한국에 있는 의과 전문대학원에 진학한 밑바탕이 되었다고 생각한다.

한국어를 지도하면서, 단순히 글만 지도한 것이 아니었다. 한국의 서울에 있는 세계에서 가장 큰 실내 놀이동산을 설명하면서 꼭 가보라고 했다. 다양한 재료를 섞어 만들어내는 한국의 전통음식인 비빔밥을 꼭 먹어보라고 했다.

이렇게 이야기 하는 것은 단순히 한국어를 공부하는 것을 넘어서 한국으로의 해외 여행과 또 인생이 힘들어졌다고 생각할 때 한 번쯤은 극복할 수 있는 인생의 성취동기를 만들어 주려고 한 것이다. 작전은 성공한 것 같다.

생도들에게 바둑도 지도했다. 바둑은 동양에서 하고있는 전통적인 보드게임이다. 특히 250번 정도까지 놓여지는 한판의 완전한 바둑의 진행과 순서는, 흑과 백의 순서를 외우는 것은 공부하는 생도들에게는 좋은 두뇌 훈련이다. 한국의 의과전문대학원에 진학한 생도들은 5개~10개 정도는 외웠다. 가볍게 말하지만 노력의 성과이다. 외우는 것이 두렵지 않게 된다. 후에 외우는 것은 의과전문대학원에 진학하는데 도움이 되었다고 한다.

의과전문대학원을 다니는 중에 식사를 함께 식사를 했는데 의과전문대학원에 후보 1번 합격생은 정말 슬프다고 했다. 후보 1번은 단 1명도 추가 합격하지 못한다는 것이다. 무조건 등록하고 재수를 하던지 한다고 한다.

합격생과 후보 1번 합격생의 차이는 정말 미세하다.

꿈이 클수록 미세한 차이는 작다. 그러나 그 결과는 크다.

이렇게 대만세계윤리사관대학교에서 지동 행던 생도들이 한국에 있는 의과전문대학원에 진학했다는 소식을 듣고 을교수는 책으로 집필할 계획을 하고 작업하여 6개월 만에 책으로 완성했다.

'탁바위! 윤리사관 대학교 교수 윤리사관 생도 의과전문대학원 보내기!' 라는 책이다.

탁바위는 탁월함에 이르는 바른 연필잡기의 위대한 힘을 의미한다. 영어로는 TBW 이다.

< 이알지(李謁智) 작가는 글을 쓰는 작가가 갖추어야 할 기본 미덕 또는 기본 소양 중에 하나가 바른 연필잡기라고 생각합니다. '탁바위'라는 용어가 마음에 와닿아 탁바위 저자의 동의를 얻어 사용합니다. >

을교수는 책을 완성하고 주변의 지인에게 선물하기도 했지만 한국의 의과전문대학원에 다니고 있는 책의 주인공 본인에게는 아직 선물하지 않았다. 의과전문대학원을 졸업하고 의사가 되었을 때 선물하려고 한다. 본인의 이야기가 책으로 소개되는 것을 탐탁치 않게 생각할 수 있기 때문이다.

을교수는 열심히 살기도 하지만, 타인을 배려하는 마음, 생각도 무지 깊다.

그리고 그 생도들에게 한 여러 가지 조언은 인생의 지침서가 될 것이다.

중화권의 태극권은 건강을 유지하기 좋으니 평소에도 수련해서, 몸과 정신을 건강하게 하라고 한 것이 생각난다.

악기를 연주하는 것도 그렇다. ....

이왕 하는 것 효과를 최대한으로 이끌어 내도록 해라.

졸업하고 한국의 의학전문대에 입학한 생도들에게 을교수는 1년에 2번 정도 식사를 함께 한다. 가끔 본인들에게 관심을 가져주는 사람이 있으면, 힘든 한국의 유학생활에서도 가끔 단비가 된다고 생각한다.

을교수는 2023년 여름, 탁바위! 바른 연필잡기 노래를 업그레이드 하려고 계획하고 있었다.

< 여기까지가 이알지(李謁智) 작가가 평소 관심을 가지고 있었던 작가의 동의를 얻어 을교수의 성품을 정의한 것이다. >

그런데 을교수가 갑조교와 뜻하지 않은, 말도 않되는 해프닝에 연루되어 을교수 본연의 연구 활동과 글쓰기 작업을 하지 못하고 이렇게 글을 쓰고 있다.

을교수는 나쁘지만 새로운 경험이라고 생각하고 긍정적으로 하려고 하고 있다. 그러나 스트레스와 정신적 고통, 육체적 고통, 대인관계 등은 많은 손실이 있다. 이로 인한 체중 감소와 집중력 저하가 대표적이다.

이 글을 계기로 착한척 하며 주위에 간접적으로 작게 가스라이팅을 하는 사람을 구별했으면 좋겠다. 그런 부류의 사람들은 자신의 행동이 어떤 결과로 변할지 생각하지도 못하면서 행동하는 사람들이다. 잘 구별하고 분별하고 피해서 손해보지 않는 선한 보통의 사람들이 많아졌으면 좋겠다.

특히 갑조교와 을교수와 있었던 일은 이 정노까지의 일 축에도 끼지 못했다. 그러나 갑조교는 자신이 인지하던 인지하지 못하던, 또는 약간의 골탕을 먹이려고 했던, 심한 악의적 의도가 있던 결과는 살인의 동기가 있다. 갑조교의 행동은 살인의 의도가 있는 직장 내 절대 권력을 이용한 갑질이며, 한 평생을 바르게 살려고 노력했던 사람에 대한 살해 행위임을 명심해야 한다.

혹시, 갑조교가 어디서 이 글을 읽고 기분 나빠하면, 반성할 줄 모르며, 갑조교는 그런 부류의 사람이며, 지금도 주위에 간접적으로 작은 가스라이팅을 하며 생활하고 있는 것이다.

갑조교는 간접적 가스라이팅을 하지 않았다고 할 수 있다. 그러나 결과는 같다.

을교수가 이 정도의 글을 쓰고 있다는 것을 생각하면, 갑조교의 갑질은 이제 부터는 갑조교를 죄어오는 올가미가 될 것이다. 또한 을교수는 용서할 생각이 없음을 밝힌다. 특히 기획국장 이하늬 교수의 조언대로 강하게 나갈 것이다.

대충 착한척 하며 주위에 간접적 가스라이팅을 본인도 인지하거나 인지하지 못하거나, 의도하지 않았거나, 의도 했거나 갑조교 자신이 책임을 지면 된다.

혹시, 갑조교가 을교수를 생각하기를 물에 빠진 사람 구해줬더니 보따리 내놓으라는 심보라면 곤란하다.

을교수는 물에 빠지지도 않았다. 사회 통념상 상식적으로 물에 빠진 정의대로 하면 된다.
예를 들면 신발 밑창 1cm 정도로 잠기는 것으로 물에 빠졌다는 표현을 쓰는 것은 많이 그렇다.

법과 증거 이야기를 하는 것이 평소 을교수와 성향이 맞지 않지만, 갑조교는 증거를 통해 법으로 사회적 통념상 상식적인 선에서 갑조교 스스로를 변호해야 한다.

  총장 환송회장에서 식탁 밑으로 발이 스쳤다고 성고충위원회에 소집하는 것은 정말 그렇다. 을교수가 참은 이유는 그 싸움이 지저분하고 남는 것이 없는 승부가 되기 때문이다.

  강하게 나가라고 조언해 준 기획국장 이하늬 교수가 정말 고맙다. 이글이 완성되어가는 즈음에는 강하게 나갈려고 을교수는 마음먹고 있다. 그리고 갑조교의 사과와 함께 무고와 무고와 관련된 명예훼손에 대한 책임을 물을 것이다. 특히 갑조교와 같이 복지 단체, 여성 단체, 종교 단체, 이익 단체 등과 같은 단체와 교점이 있는 사람들이 악용하는 것에 대한 선량한 소시민을 보호하는 판례로 남기려고 을교수는 마음먹고 있다.

2023년 5월 15일 전후 부총장 면담

을교수에게 갑조교와 거리 두기를 요구했다. 5월 12일 정도 된다. 5월 18일 정도 될 수도 있다.

갑조교와 거리두기라지만 갑조교가 근무하는 장학국 사무실에 방문하지 않기이다.

이날 바로 부총장에게 갑조교가 을교수에게 보낸 쪽지를 보여줬다. 2023년 4월 7일 경 대학교 내부 메신져 통해 을교수에게 보낸 갑조교의 쪽지의 내용이 이상하여, 사진 찍어 놓고 그 뒤는 방문하지 않았다고 했다.

부총장과의 면담에 관한 이 부분의 일자는 정확하지 않다. 그냥 헤프닝 정도로 생각하였다. 그리고 4월의 그 쪽지 이후 계속 그렇게 생활하고 있어서 별 생각 없었다.(2023년 8월 8일 수요일의 생각)

2023년 5월 26일 금요일 교직원 회의실 : 부총장, 상담교수, 의무교수

　내용이 다양하다.

　이때 갑조교는 터치라는 용어를 사용했으나, 이것은 악의적 워딩이다. 스침으로 여기서 바로 정정한다.

　(혹시, 갑조교는 터치라고 할 수 있으나, 사회적 통념상 터치와 스침은 구분 해야할 필요가 있다.)

　　용어의 정립 :　스침 ← 터치

　이때는 을교수는 황당하기도 하고 당황하기도 하여 별로 생각을 할 수 없었다.

　을교수의 기억에도 없는 것으로 신고당했으니, 황당하고 당황스러운 것은 당연하다.

　그러나, 시간이 지남에 따라 명확해지는 것이 있었다. 용어의 정리가 필요하다.

　터치와 스침은 완전히 다른 용어이다.

2023년 5월 29일 월요일 석가탄신일 새벽

을교수는 최근 15년간 역대 최저의 몸무게가 됨.

→ 70kg을 나가지 못함.

2023년 5월 30일 화요일 어느 정도 해결

　교직원 회의실 : 부총장, 상담교수, 의무교수

　　　　　　　　을교수, 갑조교

　갑조교의 내용이 다양함.

　을교수가 사과와 함께 서약서를 쓰고 이행하기로 헸다.

　법적으로 할까 고민하다가, 그냥 이게 빠른 해결책 같아서 선택했다. 이때는 그냥 적정선에서 마무리하고 싶었다.(이 이후의 갑조교의 신고와 클레임은 상식적 통념적 수준에서 절대 갑질에 해당한다고 생각하게 되었다.)

　(2023년 7월 31일 월요일 : 주호민 작가와 관련된 기사 → 밥그릇으로 사람 괴롭히는 것에 해당)

　첫 번째 신고(5월) → 서약서 쓰기(5월) → 두 번째 신고(6월)

　두 번째 신고는 갑조교에 대해 많은 것을 생각하게 됨

2023년 6월 1일 목요일 13시 30분경

매주 목요일,

을교수의 통상적인 목요일 식사 후 일정 : 우천시는 다름

운동장 조회대 → 필로티 → 중정 : 생도 관찰 → 그리고 교수연

구실로 이동하거나, 다음 강의를 위해 강의실로 이동

갑조교는 대학본부 사무실에서 이야기 하는 경우가 종종 있음.

2023년 6월 2일 조퇴(금융 업무라 하고)
  : 정신적 신체적 데미지 큼

  갑조교의 신고로 인해 을교수는 정신적 데미지가 큼.

  신체적으로도 건강에 문제가 생김. 두통이 발생 함. 가끔 호흡 곤란이 생김.

  이때 조퇴로 인해 을교수에게는 인사 문제가 발생했다.

2023년 6월 13일 화요일 교직원 휴게실

갑조교가 유교수와 큰 소리로 웃으며 떠들며 16:00이 지나도록 이야기를 했다. 을교수는 갑조교 때문에 화장실을 피해갔다. 교직원 휴게실을 지나야 화장실을 갈 수 있다.

이때는 별로 의식하지 못했지만, 갑조교 특유의 하이톤 목소리와 특히 특유의 하이톤 웃음이 있다.(갑조교의 가스라이팅 무기임.)

이것은 갑조교가 주위의 사람들에게 자신이 선량한 사람이라고 간접적으로 작게 하는 가스라이팅 임.
그러나, 을교수에게 한 것 한 가지로 인해 갑조교의 이중적인 모습을 알 수 있음.

주변의 보통의 사람들은 갑조교처럼 스침을 터치로 악의적으로 워딩하여 신고하지 않음.

이것 말고도 눈을 크게 뜨며 놀라는 듯한 행동도 있음.(2023년 8월 28일 편집 중에 6월 14일 오전 교무실에 있었던 갑조교의 행동하는 장면이 생각나서 새롭게 추가로 정의한 것임)

2023년 6월 14일 수요일 1교시

을교수는 업무로 인하여 대학본부 사무실에서 부총장과 이야기 해야함.

이것이 두 번째 클레임의 1차 빌미가 되었다.

을교수는 대학본부 사무실을 1차 방문했으나 지나갔다. 대학본부 사무실에 보통은 갑조교가 있기 때문이다. 역시 특유의 갑조교 웃음과 목소리가 대학본부 사무실 밖까지 들리고 있었다.

20분쯤 지났다.

을교수는 대학본부 사무실에 2차 방문하고, 어쩔 수 없이 대학본부 사무실 입장하였다. 역시 갑조교는 그때까지 대학본부 사무실에 있었다. 이때 을교수의 기억으로 대학본부 사무실에 있는 것을 확인한 사람들이 부총장, 재무처장, 대학본부 사무실 조교, 의무교수, 갑조교이다.

갑조교가 놀란 듯하며 눈이 커지며, 급하게 허리를 다 펴지도 못한체, 엉거추춤하게 일어나서 대학본부 사무실 앞쪽으로 앞문을 이용해서 종종 걸음으로 나가면서 자리를 피했다.

갑조교 특유의 행동이다.(2023년 7월 28일 금요일 11시 30분쯤 갑조교에 대하여 정의할 수 있었다.)

회의를 하고 있었다고 핑계 정도는 댈 수도 있겠으나, 이것은 상식적으로 봐도 그냥 핑계이다.

을교수는 업무 때문에 부총장과 이야기 해야했다. 갑조교의 장시간 대학본부 사무실 점령은 보직을 담당하고 있는 을교수에게는 큰 업무지장을 야기하고 있다.

후에 2023년 7월 31일 월요일 08:55경,

을교수가 방학에 실시되는 특기적성국 프로그램과 관련된 업무로 인하여 방학 중에 대학본부 사무실에 방문했다. 그때 갑조교가 대학본부 사무실에 있었다. 이때 대학본부 사무실 조교가 갑조교가 방학때 장학국 사무실 공사로 인하여 대학본부 사무실에서 근무하다고 귀뜸해줬다. 이것으로 인해, 아는 사람은 어느정도 갑조교와 을교수와의 관계를 알고 있다고 생각을 하게 되었다. 특히, 갑조교가 간접적으로 작은 가스라이팅을 하고 있기 때문에 을교수는 걱정이 되었다.

2023년 6월 14일 수요일 교직원 휴게실에서 교직원 동아리 활동을 함 : 을교수는 피함

색에 관한 활동을 한 것으로 기억한다. 이런식으로 보통은 친절하게 하면서 왜 을교수에게는 그렇게 악의적으로 잔인하게 살인의 수준으로 했나?

2023년 6월 15일 목요일 13:30 경

　졸업하고 대학원에 진학한 생도들의 초대 : 졸업하고 대학원에
진학한 생도들의 다큐멘터리 영화상영
　　장소 : 시청각실

이것이 두 번째 클레임의 2차 빌미가 되었다.

　이날의 을교수 이동 경로 :
　식당 →　운동장 → 필로티 → 중정
　　　　　　　　　　　→ 오늘은 특별히 시청각실

　평소의 을교수 이동 경로 :
　식당 →　운동장 → 필로티 → 중정

　시청각실에 들어서는 순간 영화상영을 위한 매우 어두웠다. 을
교수가 어두움에 적응하고 있던 중, 갑자기 갑조교가 놀란 듯이 나
갔다. 몇 일전에 대한본부 사무실에서 한 행동과 유사한 행동이다.

　을교수는 갑조교가 있는지도 몰랐다. 평소 갑조교는 대학본부
사무실에 자주 있다. 그래서 생각없이 시청각시에 갔다. 시청각실에

는 유교수, 박교수, 의무실장, 갑조교이 있었는데, 유교수와 박교수는 작년에 졸업반 생도를 지도한 지도교수였다.

을교수는 갑조교와의 만남을 최소하가기 위해, 2023년 6월 1일 목요일부터는 생도들의 선택에 의해 식당에 가는 방향이 2개가 되었다. 식당 가는길에 갑조교를 만날까봐 을교수의 고육지책이었다.

이렇게 가다가 생도 둘이 계단에서 부딪혀서 1명이 발목을 다치기도 했다.

2023년 6월 20일 화요일

　상담교수의 전화 : 상담실에서 다시 상담.

　2번째 클레임의 세가지 이유 :

　대학본부 사무실에서 갑조교를 피하지 않았다.
　시청각실에서 갑조교를 피하지 않았다.
　대학교 내에서 생활하면서 갑조교를 피하지 않는다.

　2023년 5월 이후에는 교직원 휴게실에 있는 커피와 얼음도 주의
한다.

　을교수의 생각으로는, 보통의 사람이라면 대학본부 사무실에서
있었던 일은 부끄러워서 말도 못하겠다는 생각을 했다. 회의를 빙
자해 수다 떨고 있었기 때문이다.

　보통은 그렇게 하지는 않는다. 자기는 수다고 을교수는 업무였다.
갑조교의 사고체계를 생각해봐야 한다.

　갑조교의 문자를 분석하고, 쪽지도 확인해야 할 필요가 있다. 문
구 자간에서 의미론적 분석이 필요하다. 칭찬 쿠폰의 내용도 그렇

다. 칭찬 쿠폰 금지 안내도 그렇다.

이번 클레임 또는 신고 또는 요청은 갑조교에 대해서 새롭게 보는 계기가 되었다.

후에, 이중적인 모습을 발견하게 되는 결정적 단초 또는 시초가 되었다.

그리고 7월 28일 금요일 11시 30분경에 급식실에 있었던 일은 갑조교에 대해 확실히 정의 내릴 수 있는 계기가 되었다.

이날의 급식실 해프닝은 교무국장 김태희 교수도 봤고, 기획국장 이하늬 교수도 봤다. 그리고, 이상하게 생각했다.

갑조교가 을교수에게 행한 행동은 갑조교가 다른 사람에게 했던 반절 또는 1/10 정도만 있었어도 이런 해프닝 또는 사태는 없었을 것이다.

갑조교는 어떻게 생각할지 모르나, 정신력이 약한 사람은 큰 정신적 트라우마가 생길 것 같다. 평소 정신력이 강하다는 을교수도 간신히 버티고 있다.

2023년 6월 21일 수요일 09:05 쯤
　생도들의 간식 식단과 관련하여 재무처 방문

　을교수는 생도들의 간식 식단과 관련하여 재무처에 방문했다. 갑조교를 피하기 위해 일부러 돌아서 간다.

　갑조교는 장학국 사무실에 있지 않고, 대학본부 사무실에 있다. 대학본부 사무실에서 대학본부 사무실 조교와 대화중이다. 부총장은 출장중이며, 총장은 바티칸으로 전출 간 상태이다.

2023년 6월 21일 수요일 13:45 부총장 면담.

갑조교의 클레임이 있었다는 것으로 부총장과 면담했다. 총장의 전출로 인한 공석으로 부총장의 업무가 많아졌다. 부총장에게는 계속해서 미안한 마음이다.

부총장과의 면담과정에서 위원회가 힘들다는 것을 알 수 있었다. 갑조교는 생각보다 위원회를 힘들게 한다는 것을 느낄수 있었다. 위원회가 힘들다는 것은 갑조교의 위원회 압박이 있다고 생각된다. 갑조교가 자신의 목적을 위해서 남을 압박하고 피곤하게 하는 사람인 것을 알 수 있는 대목이다.

어떻게 보면, 갑조교는 자신의 꾀에 빠지는 자가당착의 상황이 되었을 수도 있다. 그냥 을교수가 사과를 해서 그렇지, 법적으로 갔다면 어떻게 되었을까?

갑조교가 하는 행동은 사람을 죽일 수도 있는 살의를 가지고 하는 행동이다. 그래서 증거로 해야한다. 그런데 증거가 없다. 갑조교가 억울하다고 할 수 있으나 갑조교의 소설적인 부분이 크다고 생각 된다.

혹자는 소설적인 부분은 너무 확대해석했다고 할 수 있다. 그러나 충분히 개연성이 있다.

을교수는 더 어처구니가 없다. 주위에서 스침을 터치로 악의적으로 워딩을 하여 남자를 곤란하게 한다는 이야기를 듣기만 했지 겪지는 않았기 때문이다.

일반적으로 그러지 않다. 갑조교에게는 미안한데 갑조교와 비슷한 부류의 유형을 가진 사람은 다음과 같다. 계곡살인 이은해, 제주도 전남편 살해 고유정, 또래 여성 살인 정유정 등이다. 일반적으로는 절대 그럴거 같지 않았는데 그렇게 행동한다. 실행한다. 갑조교가 그렇다.

특히, 갑조교는 우리가 흔히 알고 있고, 생각하고 있는 세계윤리사관대학교에서 근무하는 교수진들과는 완전히 다르다. 우선 선발과정이 다르다. 그냥 대학교에 있어서 조교라고 명칭을 사용한다. 하는 일도 일반 조교와 같이 강의를 하지 않는다. 거의 사무직원이다. 그래서 대학에 있지만 하는 일과 하는 일의 결이 완전히 다르다. 그래서 갑조교의 사람됨을 흔히 유교 사회에서 생각하는 교육자상으로 생각하면 곤란하다. 일반적인 생각의 밖이다.

주위에서 스침을 터치로 악의적으로 워딩해서 신고하는 사람이 얼마나 있을까?

이렇게 생각하면 갑조교의 행동이 이해가 간다.

2023년 7월 말, '신과 함께'의 주호민 작가가 문제가 되었다. 주호민 작가의 평소 모습을 우리가 일반적으로 알고 있는 적당히 바람직한 사람이었다. 그러나 수면 아래 감춰진 행동은 그렇지 못했다. 그 행동이 수면위로 떠 올랐을 때, 우리는 주호민 작가에 대해서 다시 생각해야 한다.

그리고 2023년 7월 31일 월요일 신문기사에 나온 주호민 작가에게 글을 쓴 기사문을 보면 주호민 작가가 '꼭 그래야만 했나?'의 구심을 가질 수 밖에 없다.

역시, 갑조교도 주호민 작가와 비슷한 연장선에서 생각할 수 있다.

2024년 2월 1일 주호민 작가 재판의 1심 결과가 나왔다. 재판부는 주호민 작가의 편을 들어주는 느낌이 든다. 주호민 작가가 입장

문을 발표했다. 주호민 작가의 입장문에는 의미론적으로 생각해야
할 의미심장한 부분이 있었다.

교사의 피해보상 주장에 관한 부분이다. 주호민 작가의 주장은
교사가 과도한 사과와 과도한 금전적 배상(정신적 위자료 포함)을
요구했다는 것이다. 이것은 주호민 작가의 입장이 갑에서 여론으로
인해 을이 되었다가 재판의 결과로 인해 주호민 작가의 입장을 다
시 생각해 보게 되는 결과를 만들었다.

주호민 작가 재판에 관련된 교사는 어떻게든 이익 단체 또는 이
익 집단과 교차점이 있다. 허은아 의원이 말한 것과 비슷한 이익
추구 카르텔이다. 그래서 사회적으로 교사였던 여론의 방향에 약간
은 역풍을 맞았다.

서로를 배려하지 못했으니 결국은 피해가 커졌다. 그리고 그 피
해의 틈은 누군가의 이익 추구의 장소가 되었다.

2023년 6월 22일 목요일

어제의 부총잠 면담 일로 인해서 6월 22일 목요일 조퇴했다. 역시 금융업무라 했다. 을교수의 정신적 데미지가 상당히 크다.

을교수는 목요일에는 거의 운동장 필로티 중정의 순으로 다닌다. 운동장 조회대에서 대학본부 사무실에 있는 갑조교의 실루엣이 오늘도 역시 슬쩍 비췄다. 의도한 것은 아니다.

갑조교는 지금 간접적 작은 가스라이팅 중이다. 자기는 착하다. 자기는 바쁘게 산다 등으로

갑자기 생각난 2022년 여름의 일화

대학본부 사무실 조교가 정수기에 커피가 든 컵에 바로 얼음을 받아서 정수기에 커피가 튄다고 뭐라고 했다.

그때 을교수는 빈 컵에 얼음을 받아서 옮겼다. 커피가 없는 컵에 얼음을 받고 다시 싱크대에서 커피가 든 컵으로 커피를 옮긴다. 을교수는 이런 작은 것에도 배려를 하는 사람이다.

2023년 6월 22일 목요일의 조퇴 관련도 상담교수하고 상의하고 조퇴하였다.

혹시 불미스러운 일이 있으면, 그래도 을교수 본인이 직접 대학교 내에 있는 것이 좋을 것 같아서이다.

갑조교의 2차 클레임이 최근에 발생했기 때문이다.

그리고, 이에 따른 해결 책은 답이 없다.

무조건 피하기가 최선이다. 이유 : 혹시 갑조교가 또 의의를 제기하면 해결하는 것이 더 힘들다. 그냥 피하는 것이 낫다. 갑자기 초한지의 한신이 생각났다. 한신은 나중에 큰 일을 도모하기 위해 일순간의 부끄러움을 참는 다는 의미가 강하다. 과하치욕(胯下之辱)이라한다.

그런데, 한신은 끝이 좋지 않았다. 을교수는 그렇지 않으리라 다짐했다.

그리고 후에 갑조교의 갑질이 더 심해지면 그냥 강하게 나갈 것이라고 생각했다. 기획국장 이하늬 교수의 조언(2023년 7월 중순경)대로 할 것이라고 다짐했다.

몸무게의 변화

5월 29일 70kg 밑   69.8kg 최근 15년간 최저 몸무게

6월 22일 68kg 대 더 최저

혹시 을교수의 눈 빛이 이상하다고 하면, 을교수는 좌우 눈의 시력 차이가 있다. 핑계일 수도 있으나, 을교수는 안경을 쓰지 않고 생활한다.

(2023. 8. 8. 화요일 11:00 경에 발견한 시력 문제)

    왼쪽 : 30cm 정도의 글씨가 흐림. 7m 정도 잘 보임

    오른쪽 : 30cm 정도 글씨는 잘보임. 7m 정도 흐림

2023년 3월 정수기 교환

장학국 사무실에 있는 정수기와 교직원 휴게실에 있는 정수기를 교환했다. 장학국 사무실 정수기는 헌 것이다. 교직원 휴게실에 있는 것은 새 것이다. (얼음의 차이가 있다.)

2023년 3월 9일 목요일, 갑조교는 색과 관련해서 전체 쪽지를 보냈다.

그래서 색과 관련 질문이 있어서 장학국 사무실에 방문하기도 했다. 겸사겸사 같은 날, 상담실에 찾아가서 상담교수에게도 함께 문의했다.

갑조교는 별로 성의있게 설명하지도 았았다. 그러면서 팀장은 왜 하며, 친절한 척하는 쪽지는 왜 보냈을까?

2023년 8월 4일 금요일의 생각 : 팀장을 맡은 장학국 사무실 조교에게 조언을 구한 시점에도 갑조교는 별로 성의있는 조언을 하지 않았으며, 별로 성의있는 태도로 대답하지 않았다. 여기서 성의있는 대답은 극진한 성의를 담는 것이 아니라, 7월 28일 금요일 11시 30분 전후에 있었던 급식실에서 정도의 대외적으로 하는 가식적인 정도의 성의를 말한다.

2023년 6월 28일 수요일

　학생이 의무실에 있어서 의무실에 방문했다. 이것도 불안하다. 갑조교가 대한 본부 사무실 앞에서 9시 15분 정도에 있었으며, 이때 을교수가 있는 의무실 쪽을 보는 것을 을교수는 확인했고, 의무실에 들어갔다. 갑조교는 대학본부 사무실에 너무 자주 상주한다.

　갑조교가 상주하는 것은 인간적으로 용인할 수 있다. 그러나, 을교수에게 그렇게 잔인하게 욕죄여놓고, 대학교 내에서 핵심 시설인 대학본부 사무실에 상주하면 어떻게 하나?

　을교수는 특기적성국 국장이기도 한 보직교수이다.

6월 28일　같은 장소에 있는 것도 불안하다. 표정, 소리, 행동에도 제약을 가하니 참 그렇다.

　　갑조교가 또 어떤 생각을 할까? 갑조교에게 걸리적 거리면 더 힘들다. → '걸리적 거리다.'는 이 표현도 이상한데, 적당한 말을 찾지 못했다.

　이날 : 교직원 연수가 있었다. 교무국장이 꼭 참석하라고 부총장이 전하라고 해서 어쩔 수 없이 참석했다. 앞으로 계속 참석에 거리를 둘 계획이다.

　사실 이날은 을교수의 생일이었다.

연수 내용은 예상한대로 을교수를 겨냥한 것이 었다.

연수 내용 중   '사회 상식적 수준, 사회 통념적 수준, 갑질 및
괴롭힘' 이라는 용어가 을교수의 눈에 들어왔다.

이 때가 을교수가 글을 쓰기로 계획하게 된 시점이다.

상식적 수준에서 무엇이 잘못인가? 사회 통념적 수준에서 무엇이
잘못인가?

추리영화에서 보면 결국 증거있나고 물어보는 경우가 많다.

악의적으로, 증거가 있냐고 되 묻고 싶기도 하다.

앞에서도 언급했지만 물에 빠진 사람을 구해줬더니....
을교수는 신발 밑창 1cm도 빠지지 않았다.

그래서, 연수를 받는 도중에 이제는 혹시 갑조교가 소설을 쓴 것
이 아닌가 하는 생각까지 들었다. 그러나 갑조교라면 충분히 가능

하다는 결론을 얻었다. 이때 이은해, 고유정, 정유정이 생각났다.

< 　갑조교는 충분히 그럴만 하다...... >

이유는 다음과 같다.

을교수의 방문이 귀찮다. '매운 맛을 보여주자!'

어떻게 할 까? 위원회에 신고하자.

갑조교는 흔히 생각하는 주변에서 보는 교직에서 강의를 하는 일반적인 교육자와 계열이 다르다. 선발 과정도 다르다. 그래서 생각하는 사고 자체가 다를 수 있다. 상식적인 것 통념적인 것이 다를 수 있다.

이 신고에 살인의 의도는 없었을까?

몰랐다고 해도 살인의 의도는 분명히 있다. 법적으로는 책임이 없을지 몰라도, 사회적으로 윤리적으로는 분명 의도가 있다.

또는 무고죄, 명예훼손은 어떨까? 이에 따른 손해 배상은? 변호사가 무지 좋아하겠다는 생각을 했다.

2023년 4월 7일 금요일, 갑조교가 이상한 쪽지를 보낸 이후에 갑조교에 대한 이상한 느낌이 있어서 1번 인가 방문하고 하지 않았다. 교무국장과 장학국장이 하필 거기에 있어서였다. 방문을 싫어한다고 특기적성국 사무실 조교가 을교수에게 이야기 했다.

연수 중에,
5월 14일 환송회 장소에서 있었던 일에 대해 을교수는 회상했다.

'발이 닿아요!' 한 마디면 해결되었을 것이다.
일반적인 다른 사람들은 자신이 발에 닿지 않도록 약간 멀리하거
나, 아니면 말을 한다고 한다.
'갑조교는 일반적인 사람이 아니다.'고 상식적으로 통념적으로
생각할 수밖에 없다.
그래서 장학국 사무실에서 일도 갑조교의 과장된 워딩이며 악의
적인 워딩이라고 상식적으로 통념적으로 생각할 수밖에 없다

대부분의 상식적인 사람들은 발이 닿는다고 하면 사과하고 주의
한다. 발이 닿은 실수가 반복되면 장소의 구조상 그러는 경우가 많
다. 총장 환송회 장소는 그랬다.
을교수는 억울함으로 인해 다시 총장 환송회 장소를 확인할 계
획이다.

갑조교의 요구는 총장 환송회에서 있었던 일, 또는 대학본부 사무실에서 피하지 않았던 일, 밝은 밖에서 영화가 상영되고 있는 어두운 시청각실에서 어둠에 아직 적응하지 못하고 있는 과정에서 갑조교를 보고 피하지 않았다 등의 요구이다.

이런 것으로 미루어 보면, 터치는 고사하고 스침이라는 것이 과연 있었을까 하는 생각이 든다. 터치는 악의적 워딩이다. 즉 악의적 구성이 가능하다. 이것은 남자에게 전적으로 불리하다.

또한, 갑조교의 이중적인 생활 모습과 태도는 여러 곳에서 관찰된다.

정점은 2023년 7월 28일 금요일 11:30 경이었고, 방학을 한 7월 31일 월요일 08:55 경에도 있었다.

갑조교에 대한 분석의 시작 (을교수의 자구책)
　　　갑조교가 주위를 간접적으로 작게 가스라이팅을 하고 있음
　　　갑조교의 가식적인 모습을 알게됨
　　　갑조교의 가식적인 행동을 알게됨
　　　갑조교의 여러 가지 가능성을 알게됨 새로운 생각의 시작
　　　　(보호막 생성)

2023년 6월 28일 수요일 14:00 어쩔 수 없이 교직원 회의실에 감.

어쩔수 없이 3학년 생도 교수진과 합석했다, 3학년 생도 교수진이 3명이므로 1명이 추가하면 4명이 되어 다른 사람이 합석할 여지가 없다. 특히, 갑조교라도 합석하면 어색해진다. 을교수의 3학년 생도 교수진과 합석은 이상해 보였지만, 갑조교의 이상한 행동에는 별수 없었다.

그런데 갑조교는 뒤에 앉아 있었다. 어떤 표정으로 을교수를 보고 있을 까? 을교수는 생각보다 많이 걱정되었다.
갑조교를 일부러 피하고 있다. 그러나 을교수의 운신의 폭이 많이 좁다.

갑조교가 을교수를 보고 있었을 텐데......

4학년 생도 교수진에게는 미안하다고 하고,
3학년 생도 교수진에게는 이해해달라고 했다.
난처한 상황이다.

이상한 행동에는 이상하게 해야 그나마 이해가 된다.

다른 교직원 들도 이상하게 생각하였을 것이다.

갑조교가 뒤에서 이것도 이상하게 보고 있을 것 같다.

2023년 6월 29일 목요일 09:45 쯤

9:45 쯤 갑조교가 상담실 방문하고,, 9:50 갑조교가 상담교수와 상담실 문 앞에서 대화하고 있는 모습을 봤다.
무엇을 이야기 하고 있을까? 혹시~~~~~또 클레임?

6월 29일은 어제 28일의 일로 두통으로 인해 조퇴하고 싶으나, 혹시 아까 그 일(갑조교가 상담교수와 상담한 일)로 인해 위원회가 다시 열릴지 몰라서 상담교수에게 을교수와 상담 예정이 있는지 확인하고 조퇴했다. 사유는 금융업무로 했다.

갑조교의 상담실 방문은 을교수에게 상당히 압박이 된다.

2023년 6월 29일 목교일 오전

　　교무국장 김태희 교수가 특기적성국 업무와 교무국의 업무 협의
차 을교수 연구실을 방문했다. 그리고 '화해하고 잘지내~~!'하고
평소대로 밝은 톤으로 말하고 지나갔다.
　　그러고 싶으나, 이미 늦었다. 갑조교의 살해 의도가 있다. 그래서
같은 공간에 함께 있는 것 조차도 을교수는 싫어 했다.

　　갑조교에 대해서 확대해석이라고 할 수 있으나,
　　갑조교의 첫 번째 신고와 두 번째 클레임으로 인해,
　　7월 28일 이후까지 을교수가 갑조교를 관찰하고, 을교수가 갑조
교에 대해 정의를 한 것을 보면 절대 확대해석이 아니다.

　　물론, 갑조교 또한 반론의 기회는 있다.

<갑조교에 대한 정의>

　　갑조교는 특유의 하이톤 목소리와 하이톤 웃음이 있음.
　　종종거리고 걸으며, 바쁜 듯하게 약간 구부정하게 움직이는 경향

이 있음.

이것은 간접적 작은 가스라이팅의 큰 무기임 : 바빠보이고, 성실
하게 보인다.

놀란 듯 커지는 눈.

젖은 머리로 출근.

음식물 찌꺼기 처리 방법(생도 정수기, 교수휴게실 투척)

특히 2023년 7월 28일 금요일 11시 30분 이후로는 점심시간에
도 급식실에서 갑조교의 간접 작은 가스라이팅이 시전되고 있음을
발견했다.

여름 방학에 근무태도도 엉망이다. 우연치 않게 발견되었는데 갑
조교는 출근하지 않고 출근한 것으로 했다. 최소한 을교수가 학교
를 방문한 시점에는 갑조교는 학교 내부에 없었다.

2023년 6월 30일 금요일 갑조교에 대한 다양한 생각

- 우월한 지위를 이용해 직장내 괴롭힘.

- 환송회 장소 : 발이 스쳤다고 말하면 되지, 그냥 신고해서 난처하게 했다. 난처한 정도가 아니다.

- 그냥 신고가 아니라 터치라고 악의적으로 워딩하여 신고하였다. 처음 생각 없이 대충 얼핏 들으면서 그냥 생각의 흐름대로 받아들이며, 흔히 매스컴에서 보이는 음흉한 모습으로 생각하고 을교수를 생각하게 된다.

- 대단히 악의적이고 살의가 있다.

- 장학국 사무실내에서 스침 : 확실하지 않음. (터치라고 악의적으로 워딩하여 문제로 삼고 이야기 하는데, 을교수는 기억도 없음. 아니 기억의 흔적 조차도 없음. 화면을 같이 봄: 이것은 업무의 일환) 하여튼 갑조교는 악의적이고 살의적인 워딩을 하고 있다.

그리고 이것을 갑질로 삼았다. 보통 갑질이 아닌 절대적 갑질이다. 질이 나쁘다. 이런 것으로 문제를 삼는 경우는 대부분 당한 상대를 안타깝게 여긴다.

특기적성 장학 지유수강권 업무는 3월 초까지 끝내야 했다. 그래서 특기적성국 사무실 조교, 작년 장학국장 김 교수, 장학국 사무실 조교에게 문의 한 것이다. 장학국 사무실 단지, 거기만 간 것이 아니다. 장학국 사무실을 방문했다고 을교수를 이상하게 생각하는 것은 도대체 무슨 근거로 한 생각인지 모르겠다.

3월초에 친절한 듯한 느낌으로 색에 관한 동아리를 만든다는 쪽지는 왜 보냈을까? 대상 교직원 전체에게 친절한 어투로?

2023년 8월 5일 토요일 을교수의 생각 : 이것도 또한 간접적 작은 가스라이팅 : 가식적으로 친절하다는 보호색으로 무장하고 있다.

위원회에는 을교수가 업무를 핑계삼아 장학국 사무실에 자꾸 방문한다고 한 것 같다.
3월 초 갑조교는 을교수가 도움을 받아야 하는 보직의 변동이 없는 한국세계윤리사관대학교에서 그 분야 업무의 최고의 실무자였다.

장학국에서 담당했던 업무 또한 갑조교에게 유리하게 정리 된 것이 아닌가 하는 합리적 의심(가스라이팅의 효과)이 된다.
2022년까지 한국세계윤리사관대학교에서 특기적성 장학 자유수강권 업무는 장학국의 업무였다.
특기적성국은 변화가 없는데, 업무만 커졌으니....

2023년 6월 30일 금요일 특기적성국 교수 회의

특기적성국에는 국장 외에 3명의 교수가 배치된다. 각기 고유의 업무가 있지만, 크게보면 특기적성국에 있다. 이날은 특별히 회식과 함께 회의를 했다. 작년 장학국장 김교수, 의무교수, 민교수까지 총 4명이다.

이때 을교수는 5월 14일의 6시 전후하여 스미싱 당한 이야기를 했다.

갑자기 드는 생각인데, 을교수는 4학년 졸업반 생도 교수진에게 미안했다.

이날 을교수는 새로운 신임 총장 인사발령에 대해 들었다. 7월 1일자로 총장 인사발령이 된다고 한다. 을교수는 9월 정신 인사발령을 생각했는데, 생각보다 복잡해졌다고 생각했다.

7월 3일 월요일 8시 40분 시정각실에서 새로운 신임총장과 전 교직원이 인사하기로 했다.

이 인사의 참석 여부를 주말 내내 고민했다. 잠을 설치면서 참석하기로 하기로 결정했다. 7월 3일 월요일 당일 새벽 3시 까지 뜬 눈으로 고민했다.

그런데, 누가 인정해줄까라는 생각이 들었다. 그래서, 카톡으로 남겼다. 그런데, 카톡이 조작이라고하면 곤란할 것 같았다. 그래서 달의 사진을 찍었다. 보름 전후이다.

이 때 생각 : 갑조교는 직장 내 어려움으로만 해도 충분히 해결 가능했다. 그런데 그쪽으로?

이것은 분명히 악의 적이며, 살의가 있다. 혹시 누군가의 조언이 있었을까? 보통 (이익) 단체와 관련이 있으면 엮어서 조언을 하여 확대시키기도 한다. 갑조교는 이익단체와 교점이 있을 수 밖에 없다. 갑조교의 업무 특성이 그렇기 때문이다.

2023년 6월 3일 금요일, 을교수는 이때 까지는 갑조교의 가식적인 모습을 정의하지는 못했다.

어렴풋이 이미지로만 뭔가 가식적이라고 생각하고 있었다.

어렴풋한 이미지는 2023년 7월 30일 11시 30분에 확실히 정의되었다.

갑조교의 대학본부 사무실 점령기

   을교수는 아침에 화장실 사용을 위해 대학본부 사무실 앞에 있는
교수용 화장실 이용한다. 갑조교는 대학본부 사무실에 상당히 많은
시간 있는다.
   생도들의 간식문제 때문에 재무처에 2번 방문했는데 그때마다 있
었다.

   세계윤리사관대학교는 1주일에 15학점   3시간 5과목   목 3교시
후 점심 후 4교시 명상, 봉사, 청소 활동 등을 한다.

   갑조교가 대학본부 사무실에서 간접적으로 행하고 있는 작은 가
스라이팅의 효과는 어마어마 하다.

   갑조교의 또다른 간접적 작은 가스라이팅 : 전체 생도들을 대상
으로 하는 장학 쿠폰도 일종의 전 생도를 대상으로 하는 가스라이
팅이다. 생도들은 교수들보다 장학 쿠폰을 주는 갑조교를 더 좋아
하게 된다. 장학 쿠폰의 문구도 이상하다.

갑조교의 간접적 작은 가스라이팅 대상은,
남미대학에서 함께 근무한 재무처장, 부총장, 의무교수
대학본부 사무실 조교, 특기적성국 사무실 조교
그리고 새로 부임하게 될 총장도 될 것 같다.

특기적성 조교는 특기적성국에 속한 을교수 직속 조교이다. 여기
도 가스라이팅이 이루어 지는 것을 직감적으로 느낄 수 있다.

갑조교가 특기적성 사무실에서 특기적성 사무실 조교를 만나는
것이 종종 보인다.

을교수의 평소 대학 생활

여 교수가 많기에 4학년 졸업반 교수연구실 청소, 연구실 물건 나르기, 강당 의자 정리, 과학의 달 행사 등 한번이라도 더 힘을 쓸려고 노력한다.

교직원 회의실 정리, 교수 회의실 청소 등도 열심히 한다.

갑조교의 행동에 대한 생각

갑조교가 을교수에게 하는 것, 이것은 거의 사회적 살인의 수준이다. 총장 송별회에서 발이 스친 정도도 이해를 못하고, 터치라고 악의적으로 워딩하는 것.

이것을 통하여 장학국 사무실에서 있었던 일을 유추하건데, '정말 문제 삼을만한 스침이 있을까?' 이것도 의심이 된다. 터치가 아니라 스침, 아에 스침이 없을 수도 있다. 악의적으로 편집하는 것 같다. 아니면 누군가의 악의적 조언이 있는 듯 싶다. 아니면 갑조교와 관련된 단체에서 악의적 조언이 있을 수도 있다.

2번째의 신고는 사실 너무 어처구니가 없었다. 대학본부 사무실에서 잡담을 하고 있고, 업무차 방문한 을교수에 대한 클레임과 졸업한 생도들의 영화 상영 초청으로 방문한 어두운 시청각실에서, 어두움에 적응하기도 전에 상황에 대한 클레임이다. 이때는 다행히 의무교수도 동석했다. 을교수는 상처뿐인 승리, 아픔 뿐인 영광 등이 될까봐 일을 더 키우지 않고 참고 있다.

그리고 2번째 클레임으로 다시 위원회를 힘들게 하는 것은 더 못할일이다. 그런데 갑조교는 하고 있다. 사실 위원회의 부총장은 콜롬비아 세계윤리사관대학교에서 갑조교와 함께 근무한 친분이 있는 사람이다.

보통은 그렇지 않는다. 역시 갑조교는 보통이 아니라는 것을 알수 있는 장면이다.

2023년 7월, 새로운 총장이 부임하면서 새로운 생각이 들었다.

갑조교가 소설을 썼거나, 악의적 편집, 하여튼 정상적이지는 않다.

을교수의 이상행동.

이상한 상황에서는 이상하게 행동하는게 그나마 나을 때도 있다. 정상적인 행동은 더 이상해진다.

2023년 6월의 어느 날

　을교수는,
　교무국장 김태희 교수와 기획국장 이하늬 교수에게 지성과 미모라는 을교수의 여성상 이야기를 했다.

　김태희 교수와 이하늬 교수는 참 뜬금 없다며 웃으며 지나갔다. 지성과 미모, 특히 지정이라는 면에서 갑조교는 해당 상항이 없음을 강조하기 위함이다.

2023년 7월 3일 깊은 밤 03:00 의 다양한 생각 (이때부터 고민의 흔적은 사진 촬영 및 카톡으로 확실히 하기로 함.)

- 갑조교는 흔히 생각보다 훨씬 악의적이다.

특히. 2번째 대학본부와 시청각실 사건은 너무했다는 생각이 든다.

대학본부 : 노는 사람과 업무하는 사람

시청각실 : 졸업한 대학원생 초청, 어둠속에서

- 갑조교의 소설일 수도 있다.

정상적인 경우라면, '에이! 무슨 소설이냐. 그 정도까지는 아니다.'라고 할 수 있으나, 갑조교는 마음 먹었으므로 소설같이 구체적인 짜임 을교수를 엮었다.

- 을교수는 그런석이 없다.

을교수의 방문이 귀찮으니 큰 프레임에서 어떻게 하면 효과적일까? 하다가 있지도 않는 것을 있는 것으로 만들어서 그럴수도 있다고 생각이 들었다.

갑조교의 6월의 신고가 있을때는 의무교수가 코로나19로 인하여 출근하지 않았다. 그래서 갑조교의 6월의 신고사실은 알지도 못한다. 의무교수는 시청각실에도 함께 있었다. 의무교수는 그 상황에 대해서 '어떻게 생각할 것인가?' 하는 생각이 든다. 상식적으로 통념적으로 생각해보면 답이 나온다.

특히 갑조교는 우리가 상식적으로 생각하는 교육자의 상식적 사고 체계를 가지고 있지 않다는 생각이 든다.

갑조교 대한 생각의 변화 과정

3월 : 귀찮음 (여러가지 생각하게 됨)

　　　　색 관련 쪽지는 왜 보냄

4월 : 연구 　(이때 설문지 부탁 : 이때도 거절함.)　문자의 내용이 이상함.

　　　　그 뒤로 방문하지 않음.

5월 : 시나리오의 완성, 그리고 실행 (을교수에 대해서 악의적으로 워딩하며 실행)

6월 : 2건을 합쳐서 함께한 신고로 확실히 행동의 제약을 둠

　　　　특히, 6월의 요구, 클레임, 신고는 황당하고 의외였음.

갑조교는,

전체적으로 일반 위원회에 고충으로도 충분히 해결가능 했다. 그냥 해프닝 정도로 끝났을 일이다. 그러면 을교수도 이렇게까지는 생각하지 않았을 것이다. 갑조교는 자신의 본성을 들킬 일이 없이 언제나 하듯이 특유의 하이톤 목소리와 하이톤 웃음, 종종 거리는 바쁜듯한 발걸음, 커지는 눈 등으로 간접적인 작은 가스라이팅을 했을 것이다.

그리고 주변에 자신은 착한 사람이라고 했을 것이다.

사실, 을교수에게 행한 행동 하나로 갑조교의 모든 착한 이미지

는 부정된다. 길을 가면서 물어봐라. 스침을 터치로 악의적으로 워딩하는 것. 그것도 모자라서 신고하는 것

이 사실로 갑조교에 대한 대부분의 것을 알 수 있다.

을교수는 4월 문자(쪽지)이후로는 갑조교가 이상한 사람이라는 생각이 들어 방문하지 않았다. 사실 4월 문자도 갑조교에 대해서 이상하다고 알 수 있는 좋은 척도이다.

2023년 7월 3일 03:00

　　지금 현재 누가 더 힘들까?

　　　누구의 행동의 제약이 많을까?

　　다시 드는 5월 그날의 회의실 위원회 느낌

　　부총장, 상담교수, 의무교수, 그리고 을교수

　　을교수는 부총장 면담인 줄 알고 그 자리에 참석 했다. 인턴
실습기간으로 갑조교의 클레임은 이날 처음 들었다. 을교수는　스
트레스로 인한 탈모,(?)　스트레스로 인한 체중감소는 확실, 정신적
고통도 크다.

　7월 3일 총장과의 처음 인사자리가 걱정이 된다.

　없으면 을교수 때문에 없다고 할까봐 걱정

　있으면 을교수가 있다고 할까봐 걱정

　을교수는　아주 아이러니한 상황에 빠졌다.

　그래서 드는 생각이 악의적(?)으로 신고했나? 아니면 전체적인
맥락이 이해가 되지 않는다.

　결과는 비슷하다. 갑조교는 의도하지 않았다고 생각할 수 있으나

결과는 비슷하다. 갑조교가 의도했을 수도 있다. 악의적이고 살의적이다. 못된 것이다.

사회적 통념상 : 그렇게 잘못이 있는 것 같지는 않다.(터치라는 용어 자체가 악의적이다. 살의가 있다. 못된 것이다.)

우선 스침 이라는 단어가 있다. 그런데 터치라는 용어가 악의적에서 살의적으로 스스로 변신 중이다. 아니면 그것을 의도했을 수도 있다.

위원회에서 터치라고 워딩하면 의도적인 접촉으로 생각한다.

2023년 7월 3일 월요일 을교수는 결국 조퇴했다. 금융업무라 하고 심리적인 것을 해결하지 못하고 조퇴했다.

을교수는 이날 입술이 부르텄다. 조퇴하면서 부총장 만났으며, 입술이 부르 텃다고 겸연쩍게 웃으면서 머릿속은 복잡하면서 퇴근했다.

2023년 7월 4일 화 08:50 교직원 휴게실 앞에서 갑조교를 마주쳤다. 또 피하지 않았다고 할까봐 을교수는 걱정이 되었다.

이때 을교수의 머릿속에 든 생각은 스침과 터치는 용어의 선택이 중요하며, 내포하는 의미가 많이 다르다는 생각을 했다.

또 갑조교의 기분을 상하게 할까봐 ....
사실 기분을 상하게 한다는 표현도 이상하다.

을교수는 분쟁이 생기면 소송을 통하여 이길 수는 있으나, 상처뿐인 승리가 될까 참고 버티는 중이다. 그러나 많이 힘들어 한다.

갑조교는 여자라는 우월한 지위를 이용하여, 절대적으로 연약한 대상을 상대로 하여 직장내 괴롭힘을 하고 있다. 을교수는 절대적 을이 되어서 그냥 당하기만 한다. 이제는 소송으로 해결할 것이라는 생각을 한다.(2023년 9월 13일 수요일)

스침이 있었을까? 최소한의 스침이 있다고 가정하고, 이것을 터치라고 악의적으로 워딩하면 곤란하다. 터치는 흔히들 의도성을 생각하기 때문이다.

특히, 을교수는 갑조교에 대해 관심도 없다. 관심의 대상도 아니다. 스침을 터치로 하여 (많이 양보하여 만약 을교수가 인지하지도 못한 스침이 있었더라도) 이것도 악의적인 언어 선택하고 워딩하는 순간, 이 악의적 언어 선택이 살의적 언어 선택으로 진화한다. 갑조교가 의도하지 않았어도 그렇다. 갑조교는 의도한 것 같다.

반증적인 예 :

5월 14일 환송회의 상황, 2번의 악의적 신고, 첫 번째 장학국 사무실의 스침은 확실하지 않아서 확답은 못하나, 첫 번째 장학국 사무실의 스침이 있었다면, 통념상 상식적으로 큰 수준을 아니었을 것이라고 생각 한다. 그래서 일단 갑조교가 스침이라고 이야기 하는 것에 대해서는 사실 유무가 의심되는 상황이다.

그래서 갑조교의 생애와 사상과 행동, 언어, 문자, 등을 이해해야 한다.

갑조교의 생각 배경 근거를 알 수 있는 문자 쪽지 등.

4월 7일 쪽지는 확실함 의미론적으로 이상 많이 이상
장학 쿠폰의 문구도 의미론적으로 이상
장학 쿠폰 관련 장학국 사무실 생도 금지 문구도 의미론적으로 이상
6월 20일 내부 메신저 쪽지도 의미론적으로 이상 : 생도들에게 반성하라는 의미(?) : 뭔가 이상하다.

장학 쿠폰 관련도 9월 11일 부터는 수요일만 받는다고 한다. 누구와 상의는 했을까?

8월 5일 토요일에 드는 생각은 3월 9일에 색과 관련 동아리를 모집한다는 갑조교의 내부 메신저 쪽지도 가식적인 것이 된다.

용어의 정립 필요

스침과 터치
고의적인 스침, 고의적인 터치 : 느낌이 완전히 다르다.

2023년 7월 4일 화요일 14:10~15 유교수와 을교수가 교직원 휴게실에서 커피 추출하고 있었다. 그때 갑조교가 교직원 휴게실 불을 슬쩍 켜고 갔다. 이것은 을교수가 대학본부 사무실에 일이 있어서 업무차 방문한 것과는 차원이 다르다.

본인은 을교수를 피했다고 항변할 수 있다.

그러나 갑조교의 불켜는 것은 단순하다.

을교수는 2번의 대학본부 사무실 방문 : 20분 사이의 텀이 있었다. 그 시간에도 갑조교는 대학본부 사무실에서 차를 마시고 있었다.

갑조교는 기다린 텀이 10분도 되지 않는다. 유교수와 을교수가 단지 커피 추출 하는 정도의 시간만 있었을 뿐이다.

2023년 7월 4일 화요일 회의 재무처장, 부총장, 교무국장, 특기적성 국장(을교수) 대학본부 사무실

특기 적성 운영 문제로 큰 회의를 했다. 이때도 갑조교가 들어오려고 했는데 피해야 할까? 갑조교가 대학본부 사무실에서 있었던 시간과는 차원이 작게 적은 시간이었다. 역시 이것도 차원이 다르다.

을교수는 정신적 외상이 크다. 트라우마가 생겼다.

2023년 7월 5일 수요일 오전 전체 직원 전화명부가 도착

갑조교의 전화 번호를 저장하다가 바로 삭제했다. 이유는 중요한 소송 관련 전화가 왔는데 못 받을까봐서 그랬다.

혹시, 누군지 몰라 실수할 까봐, 그런데 괜히 했다. 그래서 바로 지웠다. 이것도 스마트폰의 주소록 및 화면 캡쳐에 나타나 있다.

2023년 7월 5일 수요일 3학년 생도 지도교수의 스마트폰을 확인했다. 다행이 뜨지 않았다.)

2023년 7월 5일 수요일 두 개의 쪽지가 발송되었다. 총장 환영회와 식사 및 친목 체육활동이었다. 을교수는 둘 다 참석하지 않기로 했다.

2023년 7월 5일 수요일 13:50 지도 담당 생도 문제로 의무실 방문.

을교수는 생도의 건강 관리 문제로 의무실을 방문해서 의무교수와 상담했다. 그리고 나오는 길에 갑조교가 대학본부 사무실로 오는 것을 봤다. 을교수는 의무실에서 나왔다. 갑조교가 의무실에서 나오는 을교수의 모습을 보고 어떻게 생각할지 을교수는 궁금했다. 혹시 의무교수를 회유하기 위해서 방문하지 않을까하는 노파심이 든다.

7월 5일 수요일 : 위원회의 일원인 의무교수에게 코로나19로 인하여 대학에 출근하지 않았을 때의 상황을 이야기했다. 의무교수가 영화 상영에 관한 시청각실 일은 알고 있었다. 대학본부 사무실 일은 의무교수 당사자가 있었음(?)에도 불구하고 잘 모르고 있었다. 아니면 의무교수는 없었을 수도 있다.

2023년 7월 5일 수요일 : 입술 터짐. 7월 3일 4일 5일의 고민의 흔적,

스치는 것과 터치하는 것은 구분해야한다. 갑조교는 스침을 터치로 악의적 워딩하면서 살의를 띄고 있다.

그래도 의무교수가 면봉에 약을 짜주어서 을교수가 직접 입술에 도포했다. 고마운 생각이 많이 들었다.
이때 을교수는 정신적으로 육체적으로 많이 힘들고 지쳐있었다. 심리적으로 많은 위안이 되었다.

7월 3일 월요일 까지의 정신적, 육체적 고통이 입술 발진으로 발현했다.

2023년 7월 5일 수요일 특기적성국 사무실에서 특기적성국 사무실 조교와의 대화

갑조교가 종종 들른다고 한다. 예전에도 차를 가지고 방문한 것을 본 적이 있다는 것을 을교수는 기억했다..
이때 차의 종류가 후에 7월 20일 경 교직원 휴게실에 누군가가 버린 차 찌꺼기의 종류라고 생각된다.

흔히 보는 녹차는 아니고, 무차 와 같은 찌꺼기가 많은 차라고 생각 된다. 사진도 찍어놨다.

2023년 7월 6일 목요일   코로나19 이후로 처음으로 교수 및 직원 연합 단합 체육 활동

을교수는 복장은 준비해 왔지만, 참석은 하지 않을 계획이다. 이유는 갑조교는 괴로운데, 을교수는 즐겁게 활동하면서 지낸다고 할까봐서 그렇다. 다른 사람과 스쳐도 이상하게 볼 까봐 걱정이 된다.
여전히 드는 생각은 스침과 터치는 구분해야할 워딩이다.

을교수 연구실에서 복장을 바꿔입고 사진 촬영을 했다. 이런 활동에서 참여 의지가 있으면 반드시 촬영하여 근거를 남기려고 한다.

갑조교가 곳곳에서 바라보는 시선이 을교수의 흠을 잡으려고 하는 눈빛이다. 사실 갑죠교의 그 눈빛은 흠을 잡으려는 눈빛이 아니라, 살의의 눈빛이다. 본인은 안 그렇다고 할지라도.....
그리고 갑조교의 눈빛도 변하고 있다. 갑조교의 본모습이 나오는 것이다.

2023년 7월 6일 목요일 09:55

　기획국장 이하늬 교수가 대학본부 사무실에 못들어가고 복도에서 부총장하고 업무에 관해 이야기했다. 사무실에는 재무처장, 조교 2인(대학본부 사무실 조교, 갑조교), 부총장이 있었을 것으로 예상된다. 업무에 관한 것을 부총장이 대학본부 사무실 밖으로 나와서 기획국장 이히늬 교수와 업무에 관해 이야기를 한 것이다.

　을교수도 부총장과 업무에 관해 이야기를 하러 가는 길이었다. 가는길에 기획국장 이하늬 교수를 만난 것이다. 몇 걸음이지만, 이하늬 교수가 앞에 있어서 마음이 편했다. 갑조교가 대학본부 사무실에 있는지 인지하기 수월하기 때문이다.

　09:58 대학본무 사무실에서 웃음 소리가 났다. 업무로 인해 기획국장은 사무실 밖에서 면담 중인데, 특기적성 국장 을교수도 기획국장 이하늬 교수의 부총장과의 업무 상담을 마치고 사무실 밖에서 면담했다.

　10:04 대학본부 사무실에 갑조교가 있는 것을 확인했다.

　을교수의 부총장 면담이유는 7월 5일 23시 전후 특기적성 강사의 준민원 때문이다. 다행이 정식 민원은 아니었다. 내용은 하계 휴가에도 특기적성 강의가 가능하게 지원해달라는 내용이었다.

2023년 7월 6일 목요일 10:48 생도 한 명이 아프다고 하고 의무실에 있어서, 직접 방문할까 하여 의무실에 가는 중에 다시 돌아와서 그냥 전화로 통화했다.

특별히 여러 분야에서 관심을 가져야 할 생도였다.

7월 6일 목 11:28 생도들의 특별 수업에서 아프다고 한 생도 복귀 때문에 특별 수업을 하고 있는 강의실에서 의무실로 가고 있는 도중 갑조교와 마주쳤다. 뭐라고 할까 걱정이 되었다. 을교수는 고개를 돌리고 피하였다.

갑조교의 행동 : 피하지 않으면 신고 > 이쪽으로 관련해서 신고 > 거의 살의를 가지는 것

이제 까지 갑조교이 행동 분석

독하다? 이상하다? 민감하다? : 특별히 민감한 것보다는 치밀한 것 같다.

'치밀하다.'는 이유 : 갑조교의 클레임 과정을 살펴보면 알 수 있다. 그래서 갑조교가 꾸며내기 또는 소설로 만드는 것이 가능하다고 생각한다. 그리고 그것은 남자인 을교수에게는 치명적이다.

물론 함께 을교수도 공정하게 고민해야 한다. 공정하게, 공정한 잣대로, 이 책은 을교수에 유리할 것 같지만, 현실에서는 을교수는 전혀 그렇지 않다. 정신적으로 심리적으로 육체적으로 정말 많은 큰 고통을 받고 있다.

건물 내에서 통행 중에 갑조교를 피하기는 것은 사실 대책이 없다. 생도들에게 강의를 진행하는 을교수와 장학국 사무실에서 장학국 업무의 보조 역할을 하는 갑조교는 시간의 흐름 자체가 완전히 다르다. (그래서 대학본부 사무실에도 임주일에 2인 이상 바쁜 아침 시간에 방문하는 것 같다. 수치는 정확하지 않으나, 매우 많이 방문한다는 의미이다.)

갑조교가 근무하는 장학국 사무실이 가장 넓고 크다. 여러 가지

준비물이 많다. 지난번 장학국 사무실 조교는 친절하고 상냥하게
준비물 가져다가 잘 쓰라고 했다.

갑조교는 주변을 간접적인 작은 가스라이팅을 하고 있는 중이다.
특히 재무처장, 대학본부 사무실 조교, 부총장, 의무교수, 특기적성
국 사무실 조교, 그리고 신임 총장까지 좋은 사람인 척 한다.
이것은 7월 28일 금요일 11시 30분경 급식실에서 갑조교의 모습
을 보고 정의되었다.

특기적성국 사무실은 장학국 사무실과 거리가 멀지만 갑조교가
종종 왔다고 특기적성국 사무실 조교가 을교수와 업무에 관한 대화
중에 이야기 했다. 갑조교는 사람이 좋은 것인지, 을교수의 관계를
가스라이팅 하려고 하는지 생각은 해봐야 한다.

을교수는 갑자기 갑조교에게 연민을 느꼈다. 갑조교의 성장 과정
을 고민해야할 것 같은 생각이 들었기 때문이다. 갑조교가 상식적
통념적 수준에서 행동하는 것을 살펴본 결과이다. 하여튼, '갑조교
도 힘든 삶을 살아왔구나!'라는 생각이 들었다.
그래도, 을교수와 같은 남자를 그쪽으로 엮는 것은 너무했다.

2023년 7월 6일 목요일은 일이 많음

7월 6일 목 13:20 쯤 을교수는 식사하다가 체할뻔했다. 대학본부 사무실 조교와 갑조교가 함께 둘이 급식실에 방문했다. 대학본부 사무실의 음식물 쓰레기 처리를 위해 방문한 것 같다.

을교수는 갑조교를 식사중에 보는 것이 식사하다 놀랄정도로 힘들다.

13:30 쯤 여전히 목요일은 식당 > 운동장 조회대 > 필로티 > 중정 > 중정 옆 현관 > 대학본부 현관 화장실 앞 > 이때 갑조교를 마주쳤다. 을교수는 빠른 걸음으로 피했다. 갑조교는 이 시간에 보통 대학본부 사무실에 종 종 있다. 운동장 조회대에서 필로티로 가는 도중 을교수의 눈에 띄었다.

을교수는 대학본부 재무처 사무실에서 재무처장을 만나러 가는 길이었다. 특기적성 컴퓨터 강사의 수업과 상비 문세 때문이나.

7월 6일 목요일 13:40 입술이 터짐 거의 1주일 째

7월 6일 목요일 15:10 특기적성국 사무실 조교 이야기 :

종 종 특기적성국 사무실에 갑조교가 왔다갔다 한다고 한다. 을 교수도 본 적이 있다. 갑조교가 주변을 간접적 가스라이팅 하는 중이다. 착한척, 똑똑한 척, : 행동의 결과는 그렇지 않음.

갑조교의 행동을 의미론적 분석하면 아주 간단히 알 수 있다.
위원회가 힘들다는 것은 의미론적 분석을 하면, 갑조교가 위원회에서 위원회를 압박하며 상당히 갑질을 했다는 것을 알 수 있다.

7월 6일 목 15:15 : 사진 촬영(교실): 복장은 갖춤, 가고 싶으나 혹시 갑조교가 참석하고 싶은데 하지 못한다고 클레임을 할 까봐.
이런 이유는 대학본부 사무실에서 업무상의 마주침과 시청각실 졸업한 생도이면서 대학원 생도들의 동영상 시청에서 마주친 것으로 클레임을 하였기 때문.
갑조교는 공과 사를 잘 구분하지 못하는 것 같다는 결정적인 생각을 하게 함.

2023년 7월 6일 15시 38분 을교수는 행사가 진행중인 강당을 다녀왔다. 화장실을 핑계 삼아서, 옷은 상의만 갈아입고, 강당에 가서 심판만 잠시 봐주고 왔다. 을교수는 정말 많이 하고 싶었다.

그리고, 참석을 하지 못해서 너무 슬퍼했다.

을교수는 이날 강당을 가는 길에, 15:30분쯤 독서 논술 특기적성 강사를 만났다.

이날 16:28 분쯤 유교수가 요즘 바쁘냐고 물어봤다. 을교수는 그냥 특기적성국 업무 때문이라고 내둘러 말했다.

2023년 7월 6일 목요일 16:30분 쯤

상담교수를 1층 현관에서 만났다. 상담교수는 행사가 끝나고 즐겁게 퇴근하는 길이었다. 하필 이 때 갑조교가 지나갔다. 갑조교의 퇴근 방향이 이날따라 을교수와 일치했다.

을교수는 어쩔 수 없이 상담교수에게 대학교 밖까지 태워달라고 하였다.

태워준 상담교수가 참 고마웠다.

을교수는 갑조교의 퇴근 길까지 신경을 써야할까?

'을교수'의 입장을 무분별하게 악의적으로 워딩하는 것은 사회적 문제이다.

16:50 경찰청 옆에서 부총장을 만났다.

을교수는 평소보다 빠르게 경찰청까지 도착했다. 갑조교와의 마찰을 피하기위해 상담교수의 차를 조금 얻어 탄 결과이다.

갑조교는 간접적 작은 가스라이팅 중 :

  본인이 의도하든 하지 않았던, 간접적 작게 가스라이팅을 한다.
그래서 주변도 잘 모른다.
   갑조교에 대해서 주의깊게 생각하고 특유의 행동을 의미론적으
로 분석하면 발견하고 인지하게 된다.

2023년 7월 7일 금요일 09:25

　총장이 새로 부임해서 그런가 갑조교가 대학본부 사무실에 없었다. 총장이 있어서 조심하고 있는 중인가 하는 생각이 들었다.

2023년 7월 7일 금요일 3교시 컵라면 찌꺼기 범인 찾기

2교시에 누가 정수기에 컵라면 찌꺼기 버렸을까?

컵라면을 먹고 생도들이 사용하는 냉수만 나오는 공용 정수기에 컵라면 찌꺼기를 버렸다.

생도들이 을교수에게 범인 찾기 추리게임을 하자고 했다. 재미있을 것 같아서 추리게임을 시작했다. .

생도들의 추리력은 뛰어났다.

그 시간에 자유로운 사람 : 상담 교수, 장학국 사무실 갑조교 로 순식간에 좁혀졌다.

컵라면을 위한 따뜻한 물 정수기가 있는 곳.

－ 교직원 휴게실 정수기 : 배수가 안 됨. 정수기 바로 옆 씽크대가 있음.

－ 장학국 사무실(갑조교 근무) : 역시 배수가 안 됨. 장학국 사무실 바로 옆에 있는 화장실에 컵라면 찌꺼기 버릴 수 있음. 화장실 가는 길에 배수가 되는 공용 정수기가 있음. 이 정수기는 냉수만 나옴. 여기에 컵라면 찌꺼기를 버림. 여기서 화장실 컵라면 찌꺼기를 버릴 수 있는 곳까지는 5m도 되지 않음.

순식간에 범위가 좁혀짐.

상담 교수는 생도와 면담을 하고 있어서 알리바이가 확실함.

그냥 갑조교로 생도들이 결론을 내리려고 함.

그리고 동선도 갑조교가 그러기에 좋은 동선이라고 함.

이럴 때 보면 생도들은 셜록 수준의 추리를 펼침.

하필 갑조교로 좁혀졌을까? 생도들이 하는 합리적 추리이다. 을교수는 갑조교에게 누명을 씌우려고 했다고 할까봐서 컵라면 찌꺼기 버린 사람 찾기 추리 게임은 바로 멈췄다.

그런데, 학생들은 이미 갑조교라고 웅성거리기 시작했다. 을교수는 생도 전달사항에도 컵라면 찌꺼기 이야기는 앞으로 금지라고 전달하고, 집에서도 금지한다고 했다.

2023년 7월 7일 금요일 14:30   4학년 졸업반 생도 지도 교수들과 신임 총장과 총장실에서 총장 만남이 있은 후 교직원 휴게실에서도 컵라면 찌꺼기를 버린 이야기가 나왔다.

이전에는, 블루베리 찌꺼기가 들어있는 요구르트를 교직원 휴게실 씽크대에 버리기도 했다.

2023년 7월 10일 월 08:00 일지 노트 사진 촬영 : 한꺼번에 하지 않았다고 할 증거를 위해

　을교수는 일지를 쓰기 시작했다. 을교수가 다시 갑조교와 얽히기 싫어서 였다. 일지를 적었어도 갑조교가 그냥 쭈~욱 한번에 적어서 갑조교 자신에게 위해를 가한다고 할까봐 사진도 찍어서 보관중이다.

　촬영 중 김교수가 지나가면서 을교수가 누적 기록을 위하여 노트 촬영하는 장면 봤다. 김교수는 노트에 무엇을 그리 많이 적었냐고 하면서, 생도에 관련한 내용으로 생각했다.

7월 10일 월 3교시 을교수는 갑조교가 지나가기 기다렸다. 생도 인솔 후 교수 연구실로 복귀하려던 중 갑조교가 지나갔다. 그냥 피했다.

2023년 7월 12일 수요일 총장 부임후 두 번째 관문

　총장 부임후 두 번째 관문이다. 14:00에 신임 총장이 온 후 전 교직원 워크숍이 있다. 17:00에는 신임 총장 부임 환영회가 있다.

　14:00에 교직원 워크숍이 있다. 을교수는 참석하지 않기로 했다. 갑조교도 있을 것이다. 그리고, 같이 있거나, 무엇을 하거나, 불편하다.(사실 이 시점 부근에서는 살의를 가지고 을교수를 감시하는 느낌이 든다. 을교수는 자신을 죽이려는 사람과 함께 자리를 한다는 것을 생각하기 조차 싫었고 두렵기도 했다. 갑조교는 절대 그렇지 않다고, 그럴 의도가 없었다고 할지도 모르나, 한국세계윤리사관대학교의 교수라는 위치에 있는 을교수에게 갑조교가 하는 것은 살의를 가지고 하는 것이나 다름 없다.)

　교직원 워크숍은 총장이 부임하고 첫 번째로 기획국장 이하늬 교수가 준비한 워크숍이다. 미안할 따름이다.

　앉아 있는 것도 그렇고, 또한 실수힐까봐, 또는 을교수가 즐거워 하면 갑조교가 기분나쁘다고 위원회에 신고할까봐 그렇다.
　갑조교는 그렇지 않다고 하지만 지금 까지의 행동 결과는 이쪽으로 간다. 절대 확대해석이 아니다. 특히 을교수의 입장에서 보면 그렇다.

참석해도 손해, 불참해도 손해, 그렇다면 불참하는 쪽이 피해가 훨씬 적다. 역시 상담교수의 조언은 행동의 좋은 방향을 제시해줬다.

17:00 환영회도 불참한다. 이날 메뉴는 을교수가 아주 좋아나는 메뉴였다. 그러나 을교수는 참석하지 않았다. 사실 환영회 장소는 을교수가 집으로 퇴근하는 길에 있다. 혹시, 식당에서 또 발이라도 부딪히면 어떻게 될까? 일이 있어도 잠시 참여하고 가도 될만한 장소였다. 갑조교의 행동의 결과는 많은 곳에서 을교수를 옥죄인다.

잠깐 환영회에 참석하고, 자리를 빼져 나왔어도 되었다.

7월 12일 수요일 17:00 신임 총장 부임 환영회

   이날 신임 총장 환영회는 교직원 중에서 단 1명, 오직 을교수만 참석하지 못했다. 참 난감했다. 모든 교직원이 참석했는데, 보통의 성격을 가진 을교수가 보통만도 못한 행동을 한 것이다.

   핵심 업무를 담당하고 있어 국장이라는 보직을 담당하고 있는 교무국장 김태희 교수와 기획국장 이하늬 교수에게 특히 미안해 했다.

   이 행사를 주관했던 기획국장 이하늬 교수는 마지막까지 을교수를 설득 또는 부탁했다. 거절하면서도 을교수는 정말 미안해 했다.

2023년 7월 13일 목교일

다시 두통이 발생한다.(08:00~)

갑조교의 일로 인해서 대학교에서 국장의 자리를 담당하고 있는 보직 교수로써 당연히 해야할 것들을 하지 못하고 심리적 압박을 받은 날은 그날을 전후 두통이 찾아 온다. 교무국장과 기획국장에게 미안하다.

그러나 두통으로 인해 을교수는 조퇴를 계획했다. (다행히, 에어컨 수리라는 좋은 핑계가 있었기 때문이다. 을교수에게는 우연하게도 좋은 핑계거리다 되었다. 사실 에어컨은 더운 여름에 고장난다.)

특히 이날은 을교수의 고유 업무로 인해 대학본부 사무실을 방문하려 했으나, 어제 총장이 부임하고 난 처음 회식에 빠짐으로 인해 겸연쩍어 가지 못했다.

신임 총장 환영회가 있었던 수요일 다음 날인 목요일, 같은 졸업반 4학년을 지도하는 김교수에 환영회가 어떠냐고 물었더니, 한국세계윤리사관대학교에서 보낸 역대급으로 즐거운 환영회였다고 한다. 갑조교의 행동은 을교수의 이런 사소한 것마져 옥죄고 있다.

7월 12일 수요일 참석에 관해 부총장은 을교수와 평소 친분이 있던 교무국장 김태희 교수에게 상당히 세게 부탁한 것 같다. 평소에는 그렇지 않은 교무국장 김태희 교수가 을교수에게 상당히 공격적으로 말했다. 을교수는 충분히 이해했다. 하지만 상황이 그런데 어쩌하나. 미안할 따름이다.

이때의 느낌은 갑조교의 가벼운 간접적인 작은 가스라이팅이 대학교 내에 전방위적으로 펼쳐지고 있음을 느끼고 있다.

후에 발생하는 2023년 7월 28일 금요일 11시 30분 갑조교의 행동을 살펴보면 알 수 있다.

7월 13일 목   10:00 ~   갑조교는 대학본부 사무실에 계속 있음.

　을교수는 중요한 문서 때문에 대학본부 사무실에서 스캔을 해야
했다. 그런데 대학본부 사무실에서 갑조교 특유의 목소리와 웃음소
리가 들렸다. 을교수는 갑조교를 피하기 위해 10:05까지 1층 현관
로비에서 대기 하다 그냥 갔다.

　갑조교의 행동은 정상적인 업무에 차질을 준다. 갑조교는 대학본
부 사무실에 종종 간다. 그 것을 을교수가 갑조교의 흠을 잡으려고
해서 그런 것이 아니다. 을교수는 그런것에 연연하지 않은 대인배
다. 그것가지고 대인배라고까지는 할 수 없겠다. 보통의 소시민이다.
갑조교의 행동은 직장생활의 윤활유라고 해도 큰 지장이 없을 수도
있다.
　을교수가 업무로 인해 대학본부 사무실을 방문하려고 해도 갑조
교가 상당히 많은 시간 대학본부 사무실에 상주하고 있다.

　척도는 일정해야 한다. 갑조교 본인에게는 적당한 척도, 을교수
남에게는 잔인한 척도 이것은 맞지 않다. 갑조교는 대학본부 사무
실에서 그렇게 많은 시간을 보내면 곤란하다. 자신이 그 정도의 여
유를 가지려 했으면 을교수에게도 여유를 줬어야 한다.

갑조교는 특유의 하이톤 목소리가 있음. (7월 26일쯤 에 생각 들었는데, 자신을 포장하는 가식적인 목소리 톤이라는 생각이 듦 : 그냥 을교수의 느낌임, 그런데 밝아 보여서 주위에 좋은 인상을 줌. 또한 대한본부 사무실에서 간접적 가스라이팅에도 효과적이라고 생각 됨. 너무 비약한다고 할 수 있으나, 갑조교의 3월 부터의 행동을 의미론적으로 분석하면 충분한 당위성을 가진다고 볼 수 있음.)

이날 현관 로비에서 갑자기 들었던 위원회에서 들었던 여러 가지 질문이 생각났다. 5월 위원회 장소에서 들었던 당혹하게 하였던 질문들이었다.

그때 을교수를 당혹하게 한, 한탄하듯 한, 공격적인(적당한 뉘앙스를 찾지 못했다.) 질문 중에 하나는 '왜 을교수는 장학국 사무실에 방문했나?' 였다. 특기적성 업무에 대하여

특기적성 자유수강권 업무는 한국세계윤리사관대학교가 생긴 뒤 계속해서 장학국 업무였으며, 2023년에 특기적성국으로 이관되었다.

그 업무는 3월 10일 늦어도 3월 15일까지는 해결해야 한다. 특기적성국 조교에게 물어봤으나, 한국세계윤리사관대학교에서는 아직까지 한번도 하지 않았던 업무라서 알지 못한다고 했다. 장학국 조교는 콜롬비아세계윤리사관대학교에서는 장학국에서 담당하지 않는

다고 했다. 특기적성국으로 넘어온 것 자체가 2023년 7월 26일 현재는 의심이 된다. 2022년에 장학국장이었던 김교수에게 자문을 구했다. 2022년 하반기에 잠깐 출장을 가서 그 업무의 마지막을 하지 못했지만 도움이 많이 되었다. 김교수는 업무의 어려움과 해결 매커니즘을 자세히 설명해주었다.

이 매커니즘은 처음 들으면 사실 멍~ 해진다. 몇 번의 자문과 도움을 구해서 이해할 수 있었다.

그러나 김 교수는 시스템에 접근할 수 없어서 그냥 말로 설명해주었고 2022년 특기적성 자유수강권 정리를 위해 직접 작성한 자료를 보내주었다.

그리고 다시 장학국 사무실 조교에게도 문의를 구한 것이다. 그런데 갑조교는 을교수의 방문이 기분 나빴던 것 같다. (2023년 6월 쯤의 생각 : 그래서 악의적으로 행동하는 것 같다. 그 행동의 결과는 본인이 인지하지 못했지만 살의를 띄고 있다.)

2023년 7월 쯤에 드는 생각인데, 그 자료에 접근 할 수 있었던 사람은 3월에 보직을 받은 장학국 국장, 장학국 조교, 특기적성국 국장, 특기적성국 조교 정도라는 생각이 든다. 확실하지 않다.

확실하지 않은 이유는 일을 해야하는 특기적성국 국장은 자신의 화면이 바르게 작동되는지는 처음이니 알 수 없었기 때문이다.

그런데 계속해서 그 업무를 접하고 있던 사람은 장학국 사무실

조교와 특기적성국 사무실 조교이다. 그리고, 그 시점에서 가장 그 업무에 대해서 많이 알고 있던 사람은 계속해서 장학국 업무를 하고 있는 장학국 사무실 조교라는 결론에 도달할 수 밖에 없다. 그런데 그 특기적성 자유수강권 업무는 복잡해서 관여하고 싶지 않았을 듯 싶다.

국장은 보직이 바뀌고, 특기적성국에서는 하지 않았던 업무이고, 장학국에서는 국가별 실정에 따라서 장학국에서도 하는 업무이기 때문이다. 장학국 조교는 보직 변경없이 세계윤리사관대학교에서 대학원이 있는 한국, 콜롬비아, 튀르키에 정도에서만 인사이동을 한다. 물론 특기적성국 조교도 그렇다. 그러나 한국의 특기적성국 조교는 계속해서 인사이동 없이 한국에서만 근무했다. 즉 한국세계윤리사관대학교 특기적성국 조교는 한국세계윤리사관대학교의 특기적성국 업무에 대해서는 베테랑이며 전문가이다. 그리고 특기적성 장학쿠폰 환급 업무는 계속해서 장학국에서 했고, 세계윤리사관대학교에서 근무하는 장학국 조교 라면 어느 정도 알고 있는 업무일것이다.

어쩌면 귀찮아서 모른다고 했을 수도 있다. 장학국 사무실 조교들의 네트워크가 있기 때문에 업무가 귀찮아질 수 있어서 그럴 수도 있다.

(이 부분의 일로 인해, 2023년 7월 28일 11시 30분 급식실에서 친절하게 하는 갑조교의 행동은 상당히 가식적이라는 것을 추가로

알 수 있었다.)

　2023년 3월 초, 장학국 사무실에서 갑조교의 컴퓨터 화면을 함께 보면서, 여러 가지 업무 탭과 업무 접근 권한이 있는 것을 알았다. 이미 장학국 조교는 장학국의 업무를 능숙하게 다루고 있었고, 컴퓨터 모티터 화면에서 잘 구현되고 있었다.

　(2023년 7월쯤 2022년까지 장학국 업무였던, 환급 업무를 보면서, 그 때 장학국 사무실 조교의 컴퓨터 화면이 이해가 갔다. 2023년 6월, 세계윤리사관대학교 전체의 전산 시스템의 변화가 있었다. 그때 조금 명확해 졌다.)

　이때 생도들의 복지를 위해서 식사와 간식을 담당하던 민교수가 시스템의 변환으로 자신의 고유화면을 볼 수 없다고 연락을 했다. 을교수는 정보담당 교수의 도움으로 해결했다. 그런데 그 화면이 장학국에서 주로 사용했던 화면과 특기적성국에서 필요한 화면이라는 것을 알았다.
　그러나 특기적성국에서는 필요하기는 하지만 거의 사용하지 않는 화면, 장학국에서 많이 사용하는 화면이라는 생각이 든다. (을교수 개인적인 생각이다.)

2023년 7월 14일 금요일

　교무국장 김태희 교수는 총장, 부총장, 재무처장과 함께 중요한 회의를 한다. 회의가 있는 아침, 회의가 시작하기전에 급하게 잠깐 대학본부 사무실에 들러서 부총장을 만나고 다음 총장실을 방문해서 면담을 했다. 이렇게 아침에 급하게 대학본부 사무실을 방문하는 것은 대학본부 사무실에 자주있는 갑조교를 피하기 위해서다. 총장을 면담한 이유는 생도들의 불미스러운 사건으로 생도의 치아에 손상이 가서 그것의 해결 때문에 그랬다.

　10시쯤 교수휴게실에 커피를 추출하다 교무국장 김태희 교수가 커피를 뽑으러 와서 잠깐 이야기를 하게 되었다.
　평소 친분이 있던 교무국장 김태희 교수가 무슨 일이 있나고 했다. 요즘들어 표정도 좋지 않고, 살도 빠지고, 대학교 행사에도 빠지고, 평소랑 많이 다르다고 했다.

　을교수는 인간 관계에서 문제가 생겼다고 했다. 김태희 교수는 을교수가 평소에 하던 섯처팀 그냥 잘 지내면 좋지 않겠나고 했다. 김태희 교수는 지난 번에도 그냥 화해하고 잘 지내라고 조언해줬다. 을교수는 그러고 싶다고 했다. 김태희 교수는 그러면 참고 잘 지내라고 했다. 그래서, 을교수는 성관련이라고 했다. 김태희 교수가 깜짝 놀라면서 인턴이 그랬냐고 했다. 그래서 을교수는 사실대로 갑조교가 그랬다고 하며, 갑조교가 문제 삼은 터치 이야기를 했다. 을교수는 터치 문제가 크다고 생각한다. 그리고 터치의 용어를 스침으로 바로 그 자리에서 조정했다. 터치로 뇌리에 각인되는 순간 되돌리기가 힘들어진다.

그래서, 워딩이 중요하다고 하며, 터치가 아니라 스침이라고 표현해야한다고 했다. 그리고 장소 문제에 대해서 이야기 했다. 첫 번째 장소는 장학국 사무실이라고 하는데, 업무 문제로 컴퓨터 화면을 봐야해서 스침에 대해서 자신 없다고 사실대로 이야기 했다. 갑조교가 스침이 있었다고 주장하고 있어서, 을교수는 스침의 여부를 모르겠다고 한 것이다.(을교수는 '스침이 있었나?', '혹시 악의적으로 꾸미고 있나?'까지 생각하고 있다.'

그리고 두 번째 총장 환송회 장소에서 발이 닿은 것에 대해서 문제삼았다고 했다. 갑조교는 발로 터치했다고 위원회에 표현했다. 스침이냐 터치냐는 큰 문제이다. 김태희 교수는 어처구니 없다는 표정으로 너무 힘들었겠다고, 그런일이 있었냐고, 지난번에 화내서 정말 미안하다고 진심으로 위로해 줬다.

김태희 교수에게 을교수의 심경변화를 이야기 했다.

처음에는 황당 당황 두려움 미안함 기분 나쁨 이상한 생각 살의 (본인은 그렇지 않다고 할 수도 있으나 분명함.) 이라고 했다.

김태희 교수는 살의까지는 아닐 것 같다고 했다. 그러나, 여자가 남자에게 성관련으로 걸으면 거의 살의를 가지고 행동하는 결과를 낳는다고 했다. 김태희 교수는 처음에는 너무 확대 해석하는 것같 다고 했다. 그리고 살의를 가지는 것, 그것은 아니다고 했다. 그러 나 을교수의 표정을 보고, 아주 잠시 생각에 잠겼다. 그리고 다시 생각해보니까 정말 그럴 것 같다고 동의해줬다.

평소 아끼던 남동생이 생각나는 듯 했다.

방금 김태희 교수와의 대화는 위원회가 열린 후 처음으로 다른 사람과 이야기하는 것이다. 이제까지 을교수는 마음의 괴로움을 안 고 생활을 한 것이다. 을교수는 김태희 교수에게 매우 고마운 마음 을 느끼며, 마음의 위안을 삼았다.

어쩌면 작아보이는 것 같은 위로지만, 결코 작지 않다. 괴로움을 느끼는 당사자에게는 큰 위안이 된다는 것을 을교수는 새삼 느꼈 다.

을교수는 김태희 교수에게 을교수의 대학교 내에서 행동으로 입 장이 난처하지 않게 하겠다고 했다. 김태희 교수는 아니니, 앞으로 갑조교를 조심하면서 잘 생활하라고 했다. 특히 건강 잘 챙기라고 하였다. 요즘 너무 힘들어 보인다고 했다. 정말 고마웠다.

그날 오후 을교수는 2016년부터 2019년까지 4년간 아프리카의 모로코세계윤리사관대학교에서 함께 근무했던 2022년도에 한국세계윤리사관대학교에 부임한 기획국장 이하늬 교수와 이야기 했다. 을교수, 김태희 교수, 이하늬 교수는 함께 모로코세계윤리사관대학에서도 교수로 근무했고, 대만세계윤리사관대학교에서도 근무를 했다. 인연이 깊다. 김태희 교수와 이하늬 교수는 을교수가 성심 성의껏 지도했던, 대만에서 한국으로 의학전문대학원에 진학하여 유학생활을 하고 있는 생도들도 알고 있다.

기획국장 이하늬 교수는 특기적성 장학 자유수강권과 환급의 업무의 변화흐름을 알고 있었다.

기획국장 이하늬 교수도 을교수을 말을 들으니 너무 터무니 없어했다. 그리고 주변에 남자들은 조심해야 한다고 했다. 을교수는 조심해도 이렇게 걸어버리면 할 게 없다고 했다.

기획국장 이하늬 교수의 조언이다. '을교수님이 강하게 나가면 어떨까요?' 그래서 그것도 생각했지만 그러면 상처뿐인 승리가 될 거라고 이야기하며 올 1년은 이렇게 견디면서 보낼것이라고 이야기했다. 그리고 대학교를 옮길 것이라고 했다. 이하늬 교수는 위로해주며 올해 1년 무사히 잘 보내며 잘 이동하라고 했다.

을교수도 요즘 표정도 않좋고, 회의도 빠지고, 교수 회의실에서 피해서 본인에게 기분이 나쁜 줄 알았다고 했다. 이상한 일에 엮여서 억울하겠다고 하며 위로해줬다.

그러면서 지난번에 살이 빠져서 날씬해 보인 것이 그런 마음 고
생을 해서 그런것이라고 이제야 이해한다고 했다.

기획국장 이하늬 교수의 조언으로 을교수는 집필의 의지가 확실
해졌다. 우선은 집필이다. 그리고 상황이 더 이상해지면 최후의 수
단인 소송이다.

이하늬 교수를 만나면서 갑조교의 갑질에 대한 을교수의 생활을
적은 것을 보여 주었다. 별것도 아닌 것으로 힘들게 마음고생한다
고 위로해 줬다.

역시 이하늬 교수도 워딩이 악의적이라고 동의해줬다. 갑조교처
럼 그러면 이 세상 어떻게 사냐고.

그래서, 을교수는 워딩에 문제가 있다고 하며, 혹시 장학국 사무
실에 방문하는게 귀찮아서 이런 사단을 만들었나 하는 생각이 든다
고 했다.

지금까지의 상황으로 보면 환송회 장소에서의 을교수의 기억에도
없는 스침을 가지고 문제삼을 정도이니, 장학국 사무실에서도 기억
에 없는 스침을 가지고 문제삼는다는 생각이 든다고 했다.

(어떤 사람은 소설을 쓴다고 할 수 있다. 갑조교가 지금 까지 해온 것으로 보면 충분히 그럴수 있다는 생각이 든다. 그리고, 일반적으로 대학에서 근무하는 교수진과 조교의 생활태도, 사고 방식, 배려 등은 완전히 다르다는 것을 생각해야 한다. 갑조교는 그냥 대학교라 조교라고 부르지 실질적으로는 장학국의 보직 변경없는 직원으로 봐야한다. 선발 과정도 교수진과는 다르다. 그래서 교수진의 사고방식으로 접근하면 곤란할 경우가 많다. 사실 식사중에 발이 닿을 정도의 스침은 어느 사회에서나 있는 일이다.

갑조교(직원)의 자격지심이 있어서 그러나 하는 생각도 든다.)

이때 부총장과 갑조교와의 관계를 생각해봐야 할 것 같다는 생각이 들었다.

그래서 부총장에게 지속적으로 간접적인 작은 가스라이팅, 가스라이팅 성공, 상담 그리고 확대 , 부총장은 그래서 부총장의 감정 상태도 힘들것이며, 갑조교에 대한 압박받은 정신적 충격도 고려해 봐야한다.

그리고 2번째 갑조교의 신고 이후로 부총장을 면담했을 때 부총장이 힘들다고 했다. 갑조교의 압박이 있었을 것이라 추측할 수 있다. 갑조교가 피해자 코스프레를 하면서 위원회를 압박하고 있다는 생각이 들었다. 어쩌면 자신이 친했던 부총장을 간접적 가스라이팅을 하고, 이를 통해 다시 압박하는 구조이다.

특히 2023년 6월 30일까지는 총장의 바티칸 이동으로 인해 총장 자리가 공석이라 부총장의 영향력은 더 막강했다. 그래서 장학국 업무의 이관도 쉽게 이루어 졌을 수도 있다. 이러한 생각은 갑조교의 행동 때문에 그렇다. 아니면 별 생각없이 을교수의 대학생활이 이루어져서 생각없이 지나갔을 수 도 있다.

사람의 본성을 알기는 힘들지만, 조그만한 행동이 전체를 알 수 있게 하는 경우도 있다. 조그만한 행동이라고 했지만 절대적인 조그만한 행동이 된다. 리트머스 시험지로 체크하는 것과 비슷하다. 코로나19 검사하는 것과 비슷하다.

물론 이 명제는 이 글을 쓰는 을교수에게도 해당된다.

사실 을교수는 나교수도 걱정이 되었다. 나교수도 사람이 좋다. 평소에 친분이 있는 교수다. 그리고 대학원 교수직에 거의 다왔다. 그런데, 갑조교에게 '이런식으로 엮이면 어떻게 될까?' 많이 걱정이 된다. 대학원 교수가 되면, 모로코, 한국, 콜롬비아의 세계윤리사관 대학교의 대학원 교수를 할 수 있나. 아니면 총장, 부총장의 위치로 각 국에 있는 세계윤리사관대학교에 부총장이나 총장으로 근무 할 수 있다.

현재 교무국장, 기획국장, 특기적성 국장이 그 길을 가려고 준비하고 있다.

그리고 식사중에 발이 닿은 것으로 고소를 하면 어떨까?

대상이 남동생, 오빠, 형, 남편, 아빠, 애인, 남친, 친한　~~~

연약한 여자인 갑조교를 너무 밀어붙이는 것이 아니냐고 할 수 있다. 동일 선상에서 보면 갑조교는 지금까지 정말 크게 을교수를 절대 갑의 위치에서 너무 몰아 붙였다.

이글을 읽는 사람들이 많이 생길수록 이제야 추가 비슷해져 균형이 맞을 것 같다. 아직도 아닐지도 모른다.

여자는 연약하지만 성관련 소송에서는 여자는 절대 갑의 위치를 차지하고 있다.

특히 갑조교는 현재 절대 강자의 위치이며 칼자루를 손에 쥐고 연약한 을교수를 압박한다. 삼인성호(三人成虎)라고 했다. 갑조교는 특유의 간접적인 작은 가스라이팅을 하면서 주변의 많은 사람들을 마리오네트 인형처럼 조종하고 있다.

2023년 7월 18일 19일 : 총장과 부총장 면담 : 생도들간의 다툼 문제로

이때도 갑조교가 대학본부 사무실에 있을까 걱정을 하면서 대학 본부 사무실을 방문했다.

2023년 7월 19일 수요일 12:00 유교수와 5월 14일에 총장 환송회 장소에 있었던 스미싱 이야기를 했다. 생도들의 생존 수영 훈련장 이었다.

2023년 7월 19일 수 14:00 총장과 부총장 각 업무 국장들과 회의가 있었다. 지난번 교무국장 김태희 교수와 이야기 한 이후 가능하면 대학교 회의에 참석하면서 난처하지 않게 한다고 해서, 참석 중이다.

그런데 총장이 14:00보다 늦었다. 재무처장이 교직원과 면담중이라고 했다. 혹시 교직원이라면 그 자리에 없는 갑조교가 총장하고 면담하고 있나? 요즘은 다 이런식으로 생각을 하고 생활을 한다.

그리고, 교직원들의 근무상황을 가끔 본다. 갑조교와 최대한 얽히기 싫어서 이다. 그런데 갑조교가 가끔 병원을 방문한다. 이유는 비공개이니 알 수 없다. 그러나 갑조교가 을교수를 곤란하게 하기 위해서 일부러 병원을 방문하지 않나 하는 생각까지 들기도 한다. 병

원 방문의 기록을 토대로 삼아서 심리적 어려움을 겪고 있다고 할까봐 그렇다.

설마 그럴까 하기도 하지만, 갑조교의 행동은 을교수의 사고에 이 정도까지 영향을 미쳤다. 그리고 충분히 가능하다. 다시 생각해도 갑조교는 교수진들의 생각과 사고와 행동하고는 많이 다르다.

을교수의 행동에도 많은 영향을 미쳤다. 대학본부 사무실을 9시 이전에 방문한다. 아침에 대학본부 사무실에서 특유의 톤으로 웃으며 이야기 하며, 주위에 간접적 가스라이팅을 하고 있는 갑조교 때문에 그렇다.

7월 20일 목요일부터는 8시 30분에 대학본부 사무실에 방문했다. 업무의 처리기한이 1주일도 남지 않았기 때문이다. 7월 안에 해결해야 하는 일들을 진행해야하기 때문이다. 환급업무라는 그 일이라는 것 자체가 2022년에는 장학국 업무였다.

　교직원 휴게실에 젖어있는 차(茶) 찌꺼기를 누군가가 버렸다. 여기서 차는 우리가 마시는 깔끔한 녹차의 찌꺼기가 아니다. 무를 마렸거나 아님 이와 비슷한 모양의 습기가 많고 덩어리가 큰 차 찌꺼기이다. 생각보다 지저분하고 양도 많다. 그래서 눈에 띄었다. 습기가 많고 덩어리가 큰 차 찌꺼기의 사진도 몰래 찍어서 기록으로 남겨놨다. 갑조교가 볼까 봐 그랬다.

　생도들이 한 것은 아니다. 이 정도의 차 찌꺼기(무를 마렸거나 아님 이와 비슷한 모양의 차 찌꺼기)는 사무실이나 연구실처럼 어느 정도 공간이 확보되어야 우릴 수 있다. 개인 공간이 없는 생도들은 할 수 없다. 그러면, 교직원 중에 한 명이다. 지난번 정수기에 컵라면 찌꺼기를 버린 것보다도 더 명확하다. 물론 갑조교를 지칭하지는 않는다. 그러나, 방향은 거의 명확하다. 컵라면 찌꺼기나, 습기가 많은 덩어리가 큰 차 찌꺼기를 그렇게 버리는 것은 기본 적인 생활이나, 태도, 사상의 문제이다.

　을교수는 평생 컵라면 찌꺼기를 정수기에 버린적이 없디. 녹차 찌꺼기 마저도 함부로 버리지 않았다. 그런데, 누군가는 이런 행동을 했다. 그런데, 을교수의 대척점에 있는 갑조교가 그렇다면, 이런 행동을 하는 갑조교가 을교수를 곤란하게 하는 것은, 을교수의 입장에서는 정말 억울한 일을 당한 것이다.

원인의 시작은 스침이고, 갑조교가 업무상으로 방문한 을교수의 방문을 부담가지는 것이었다. 혹시, '스치기는 했고만!(일부러 한듯 한 뉘앙스로)' 이렇게 생각하는 사람은 사회적 통념과 상식의 수준에서도 훨씬 벗어나는 것이다. 이렇게 생각하는 순간 갑조교와 같은 사람들이 악용하기 시작한다. 악의적 워딩이 성공한 것이다.

뒤에 언급하겠지만 을교수는 청소하시는 여사님들 마저도 예의바르다고 하는 인품을 가진 교수이다.

습기가 많고 덩어리가 큰 차 찌꺼기는 그냥 공용 공간에 버리고, 대학본부 사무실의 음식물 쓰레기는 직접 급식실에 버리고, ... 갑교수의 가식적인 모습이다.

갑교수의 가식적인 모습이 아니라면, 을교수에게 그렇게까지 하지는 않았어야 한다.

물론 증거가 없고, 그러니 갑조교가 아니라고 할 수도 있다. 그러면 오해해서 미안하다.

2023년 7월 20일 목 10:39 을교수는 화장실 가다가 갑조교와 마주쳐서 다시 뒤 돌아왔다.

　을교수는 생리현상 해결에도 고충을 겪고 있다. 화장실을 가다가 갑조교를 마주쳐서 뒤 돌아 왔다. 잠깐의 생리 현상을 참는 것이 갑조교가 행하는 위원회 압박보다는 훨씬 낳기 때문이다.

　이 날은 그냥 스친 갑조교이지만 눈에 띄이는 모습이 있었다. 머리가 젖어 있었다. 대학에서 교수로 생활하면서 젖은 머리로 출근하는 교수 및 교직원은 거의 본적이 없다. 그런데 유독 갑조교가 젖은 머리로 출근하는 것이다. 물론 바빠서 그럴 수도 있다. 그런데 자주 눈에 띄인다. 을교수가 갑조교를 피하기위해 다니니 마주치면 인상에 더 남아서 그럴수도 있다.
　머리도 제대로 말리지 않고 출근하는 것, 이해는 하나 다른 교수 및 교직원은 거의 본적이 없다. 찌꺼기를 버리는 것도 그렇다. 그런 갑조교가 을교수를 상대로 곤란하게 하는 것은 많이 그렇다.

2023년 7월 29일의 찌꺼기에 대한 생각

'이렇게 찌꺼기를 함부로 버리는 갑조교가 대학본부 사무실의 음식물 또는 음식물 찌꺼기를 대학본부 사무실 조교와 함께 급식실로 버리러 왔다?' 우선 동행하는 사람이 있었다. 대학본부 사무실 조교이다. 대학본부 사무실 조교는 직위에 비해 상당히 영향력이 있다. 군대로 생각하면 당번병, 또는 회장의 차를 운전하는 운전 기사 등의 느낌이다. 대학본부 사무실 조교의 말이 대세의 초반 큰 흐름을 크게 만들 수 있다.

'대학본부 사무실의 음식물 또는 음식물 찌꺼기를 처리하면서 부총장은 그 자리에 없었을까? 총장이 있을 수도 있다.' 이렇게 되면 갑조교는 자기가 근무하고 있는 장학국 사무실의 음식물 찌꺼기도 아닌데 모범을 보이면서 처리하는 바른 인격의 소유자가 되는 것이다.

그런데 막상 장학국 사무실의 음식물 찌꺼기를 함부로 버리면(?) 남이 보이는데서만 잘 행동하는 이중적인 인격을 가졌다고 충분히 생각할 수 밖에 없다.

이것은 을교수가 자신의 보호를 위해 하기 싫지만 어쩔수 없이 기록을 하다보니 알게 된 사실이다. 갑조교가 을교수를 그렇게 몰아붙이지 않았으면 절대 감지하지 못할 내용이다.

물론 을교수에게 유리하게 편집할 수 있다. 악의적으로 갑조교를 매도한다고 할 수 있다. 그러나 갑조교의 행동의 결과는 을교수가 생명을 잃을 수도 있는 심각한 사안이다. 갑조교가 그럴 의도가 없었다고, 몰랐다고 할 사안이 아니다.

그리고 갑조교의 젖은 머리는 7월 26일 수요일 아침에도 그랬다. 일지의 7월 26일 부분인 뒤에서 정리하겠지만 을교수가 보기에는 생도들 중에 1명이 젖은 머리를 하고 흰 반팔티를 입고 상담실 상담을 마치고 상담실 쪽 방향에서 장학국 사무실에 방문하는 줄 알았다. 생도들이나 가끔 젖은 머리로 대학교 내에서 다니기 때문이다.

아뿔사! 이 젖은 머리의 주인공이 갑조교였다. 젖은 머리를 풀어서 흰 티를 입고 평소와는 다르게 안경을 쓰고 장학국 사무실에 방문하는 것이다. 상담실에서 오는 방향이다. 을교수가 갑조교가 상담실에서 오는 것을 신경쓰는 것은 또 위원회에 이야기할 까봐 그렇다.

젖은 머리를 하는 갑조교를 세으트다고 흠잡으려는 것이 아니다. 갑조교의 생활태도와 이에 해당하는 성실성 또는 인품을 살펴보는 것이다.

심지어 7월 31일 월요일 08:55 방학을 해도 갑조교는 젖은 머리로 출근했다. 갑조교도 핑계는 있을 것이다. 그래도 젖은 머리의 횟수가 잦다. 갑조교 자신이 평소 추구하는 이미지를 생각하면 더욱 그렇다. 그래서 가식적이라는 것이다.

2023년 7월 20일 을교수의 교직원 휴게실 생활 : 을교수는 종종 커피머신을 청소한다. 그리고 같이 쓰는 공동의 공간은 함부로 어지럽히지 않는다. 개중에 자신의 쓰레기를 공공의 공간에 몰래 머리는 사람들과는 대조적이다.

'교수 개인 연구실은 어지러워도 교수 회의실은 깨끗이~~' 이런 느낌이다. 물론 다 깨끗하면 좋겠지만 우선 순위는 그렇다.

2023년 7월 20일 목 16:00

박교수가 4학년 졸업반의 한 여 생도가 여자 화장실 문이 열리지 않아서 갖혔다고 급히 찾아 왔다. 박 교수와 함께 여자 화장실에 갔다. 가는 도중 여자 화장실에는 갑조교도 함께 있다고 해 줬다. 을교수는 잠깐 머뭇거리다 발길을 돌렸다. 을교수는 다행이다 생각했다. 아니면 다시 갑조교와 마주칠 뻔 했다. 갑조교는 위급상황에서 마져도 을교수의 행동을 제한하고 있다, 물론 그렇게 위험한 상황이 아니라고 을교수가 판단해서 여자 화장실을 방문하다 돌아온 것도 있다.

2023년 7월 21일 금요일 8:25

　김교수와 강의실 복도에서 커피를 마시던 을교수는 멀리 교직원 휴게실에서 커피를 뽑아서 나오는 상담교수와 손을 흔들며 인사했다. 을교수는 갑조교를 피하기 위해서 커피를 추출하자마자 교직원 휴게실에서 바로 자리를 피한다. 교직원 휴게실에서 마저도 갑조교를 피하기 위해 이런 행동을 한다.

2023년 7월 21일 금요일 08:30

　갑조교를 피하려고 대학본부 사무실에 들려서 부총장하고 여 생도가 화장실에 갖친 것을 이야기 하고 총장실에 가서 총장에게 이야기 했다. 이때 스캔할 것도 있으면 함께 가져간다. 이날도 스캔할 서류를 가지고 대학본부 사무실에 갔다.
중요한 서류지만 갑조교가 있으면 대학본부 사무실에서 작업할 수 없기 때문이다.

　15:30 특기적성 관련 민원을 해결하려고 대학본부 사무실에 방문하려고 했으나, 갑조가 있을까봐 방문하지 않았다. 갑조교는 부총장이 출장으로 대학본부 사무실을 비우면 종종 대학본부 사무실에서 대학본부 조교와 이야기 한다. 어쩌면 이것도 일종의 간접적 가스라이팅이다.

　16:30 까지 교직원 휴게실에서 갑조교가 떠들다.

갑조교의 이렇게 장시간 대학본부 사무실이나 교직원 휴게실에 있는 것은 을교수의 운신의 폭을 좁힌다.
　이것을 알 수 있는 것은 특기적성 환급에 대한 중요 업무가 있어서 특기적성 조교를 만나러 특기적성 사무실을 방문하면서 갑조교가 교직원 휴게실에 있는 것을 알게 되었다. 사실 갑조교의 목소리

톤은 약간의 특유의 하이톤으로 떠들거나 웃으면 대충은 알 수 있다.

대학본부 사무실 앞에서도 그래서 알 수 있다.

어쩌면 갑조교가 이렇게 하이톤으로 웃는 것은 갑조교 특유의 간접적 가스라이팅이라고 할 수 있다. 갑조교의 웃음 소리는 약간은 가식이 들어있다는 생각도 한다. 아마 을교수는 갑조교와의 대척점에 있기 때문이다. 사실 갑조교가 조금만 마음의 여유, 배려, 지혜 가 있었어도 갑조교와 을교수의 관계는 이렇지 않았을 것이다. 그러면 갑조교의 본 모습을 의미론적으로 분석할 일이 없었을 것이다.

이 때는 다음주부터 멀리 출장을 가는 김교수와 기획국장 이하늬 교수가 갑조교와 교직원 휴게실에 함께 있었다.

이 때 기획국장 이하늬 교수의 느낌이 궁금하기도 하다.

2023년 7월 25일 화요일 08:00 쯤 등교하는 대학교 본관 현관 앞

　청소하시는 여사님께 인사를 하며, 요즘 비가 많이 오고 덥다고 했다. 그랬더니 을교수님은 인사성도 밝고 표정도 좋으며 유쾌하다며 서로 간단한 대화를 하며 동료분과 대화를 하셨다.

2023년 7월 26일 수 08:40

　　교직원 휴게실에 있는 커피 머신을 김교수와 함께 간단히 청소했다. 김교수와 아침에 잠시 커피를 마시면서 다른 교직원들을 위해 가끔 청소도 하고 그런다. 커피 원두가 다 떨어져서 이제 방학하는 1달 정도는 사용할 일이 없다.

　　유교수가 을교수가 커피머신을 청소했냐고 물었다. 평소에는 '우렁 신랑이 나타나서 청소하나봐요.' 하면서 했지만, 오늘은 그냥 을교수가 청소했다고 했다.
　　갑조교가 웃음을 빙자하여 특유의 하이톤으로 주변을 간접 가스라이팅 하고 있기 때문이다. 특히 을교수는 이미 다른 국가의 세계윤리사관대학교로 이동을 생각하고 있기 때문에, 을교수가 떠나고 빈자리에서, 한국세계윤리사관대학교에 남아있는 갑조교가 어떻게 이미지 포장을 하며, 을교수에 대해 말할지 갑조교의 행태가 더 두렵기도 하다.
　　이미 을교수에 대해서 갑조교가 악의적으로 살의를 가지고 한 소문이 퍼졌을지도 모른다.

　　9시 45분 쯤 혹은 10시 35분쯤. 갑조교와 화장실 앞에서 마주쳤다. 다른 때와는 다르게 눈길을 피하지 못했다.

상황설명 : 머리가 마르지 않은 외부인이 상담실 쪽에서 나와 장학국 사무실로 갔다.

상담실쪽에서 나오는 머리도 제대로 말리지 못한 여자 외부인이 상담을 마치고, 다시 연타석으로 장학국 사무실을 방문한다는 것은 생도와 관련해서 약간은 급한 내용일것이라고 을교수는 생각했다. 얼마나 급하면 외부인이 머리도 말리지 못하고 들어왔을까?

상담실의 방문은 여생도든 남생도든 관심을 준다. 외부인도 그렇다. 생도와 관련이 있을 경우가 많기 때문이다. 상담실을 방문하는 것은 최소한 고민의 언저리에 있기 때문이다. 그리고 상담실과 장학국은 업무적으로 서로 관련있는 부분이 있다.

그런데 상담 후 바로 장학국(?)으로 가는 것은 깊이 생각해야하는 문제가 있을수도 있다.

'어떤 머리도 말리지 못한 외부인 또는 여생도가 상담실을 방문하고 장학국 사무실을 방문하지?' 하면서, '누구지?'. '왜?' 을교수는 강의실로 향하면서 생각했다. '아뿔사! 혹시 방금 지나간 머리가 젖은 사람이 외부인 또는 여생도가 아니고 장학국 사무실 갑조교?' 라는 생각이 드는 순간 을교수는 한숨을 쉬었다. 또 갑조교가 피하지 않았다고 신고를 할 것 같기 때문이다.

이제 실루엣이 그려진다. 머리가 젖었다. 흰티를 입었다. 안경을 섰다. 가끔 보이는 갑조교의 평소의 모습과는 거리가 멀었다. 급해서 자기 정비를 못한 상담실과 장학국을 방문한 사람으로 보였다. 몇 일을 조심했는데..... 을교수는 다시 조심해야겠다고 생각했다.

그리고 을교수는 생각했다. '맞아! 갑조교는 가끔 젖은 머리로 출근하는 것이 눈에 띄였어!'

이 글을 읽으면서

갑조교의 입장에서 갑조교의 주장을 받아들여서 생각한다면,

을교수가 죽일놈이네. 어떻게 저렇게 뻔뻔하게 생활을 할까? 파렴치하다.

이런식으로 생각할 수도 있다.

그런데, 지금까지의 갑조교의 생활과 을교수의 생활은 서로 구분되기 시작한다.

짧은 시간은 어떻게 커버하지만 긴 시간을 커버하기 힘들기 때문이다.

3월에서 5월까지의 보통의 기간과 3월에서 5월까지의 보통의 기간과 5월부터 7월인 지금까지 특별한 기간을 보내는 시간 : 이제 삶의 태도가 결과를 보이기 시작한다.

사소한 웃음. 음식물 찌꺼기, 사소한 문구, 젖은 머리 등 갑조교는 그대로이고, 을교수는 갑조교가 만들어 놓은 좋지 않은 평판의 틀에서 이제는 벗어나고 있다. 최소한 을교수가 억울할것이다는 것은 누구나 생각한다. 사실 5월부터, 위원회 순간에도 생각할 수 있는 것이다. 을교수가 억울하다는 것은 갑조교의 잘못이다.

그런데, 을교수의 억울함이 해소된다면, 을교수는 정말 큰 마음고생, 정신적 스트레스, 육체적 고통은 누가 책임져야하나?

갑조교는 이제까지 을교수가 생각했던 을교수에 대한 어려움을 거꾸로 역으로 느낄 수 밖에 없다.

2023년 7월 27일 목요일   08:55

　을교수는 상담교수와 생도의 상담이 잡혀있어서 상담실에 생도와 함께 가고 있는 길이었다. 가는 길에 교직원 휴게실 앞에서 평소 친분이 있던 교무국장 김태희 교수를 만났다. 김태희 교수와 가볍게 아침인사를 하면서 스치듯 지나고 있었다.

　그러던중 장학국 사무실에서 나오는 갑조교와 마주쳤다.

　방금 했던 교무국장 김태희 교수에게 한 인사의 관성에 의해 을교수는 갑조교에게 가벼운 목례를 해버렸다. 갑조교는 이러한 아는 체도 원하지 않았다.

　어제에 이어 오늘도 아뿔사이다.

　방금의 일이 다시 문제시 된다면 그 자리에 있던 생도와 교무국장 김태희 교수는 어처구니 없을 것이다.

　을교수는 갑조교를 제외한 대부분의 교직원들에게 만나면 가벼운 목례는 거의 하는 인품의 소유자다. 청소하시는 여사님들도 사람 좋다고 한다.

　갑조교의 입장에서 보면, 을교수가 가스라이팅을 하고 있다고 생각할 수 있다. 절대 가스라이팅이 아니다. 을교수의 평소 생활이다. 이것은 2023년도 1학기와 2020년에서부터 2022년까지 한국세계윤리사관대학교에서 을교수의 생활을 보면 알 수 있다.

또한 2023년까지의 을교수의 생활을 보면 알 수 있다.

물론 갑조교의 생활도 보면 알 수 있다.

그러나 갑조교의 행동 특히, 스침과 터치, 위원회를 힘들게 하는 것, 등을 보면 갑조교의 생활이 을교수의 생활보다는 좋지 않다고 판단할 근거를 가지고 있다

을교수의 생각에 갑조교는 대학본부 사무실에 가는 길이라는 생각이 들었다.

그리고 걱정이 되었다. 대학본부 사무실에서 또 다시 자신도 모르게 의도하지 않게, 아니면 의도적으로 간접적 가스라이팅을 하고 있을 것이다. 대상은 총장, 부총장, 재무처장, 대학본부 사무실 조교, 의무교수 정도 될 것 같다. 그리고 그곳에 있던 사람들에게 을교수가 또 아는체 했다고 할 것 같다.

이제는 간접적 가스라이팅은 그만 해도 될 것 같은 생각이 든다.

　생도들과 체육을 하기 위해 강당으로 가는 길이다. 상담실에 가는 갑조교를 보았다. 혹시 이제까지 대학본부 사무실에 있다가 오는 길인가?　보통 갑조교의 일상은 그렇다. 아침 출근하고 대학본부 사무실에 간다. 물론 회의한다고 할 수도 있지만, 밖으로 들리는 갑조교 특유의 하이톤 웃음소리는 회의를 한다고 생각하기에는 받아들이는데 어려움이 있다.

　다른 교수들도 대학본부 사무실에서 있는 갑조교의 모습을 종종 본다고 한다.

　그리고 상담실에 가는 갑조교를 볼 때마다 혹시 또 뭔가를 신고하러 가는 것 같다는 생각이 든다. 신고라고까지는 그렇지만, 최소한 클레임을 걸려고 한다는 생각은 든다.
　물론 갑조교가 그러지 않았다고 말하겠지만, 6월에 있었던 갑조교의 행동은 충분히 그러고도 남는다. 위원회를 힘들게 하고, 다시 을교수에게 압박이 된다.

　갑조교가 위원회에 말한 내용도 마찬가지다. 업무의 연장, 회식에서 등에서의 스침을 터치로 워딩해서 을교수를 악의적으로 살의를 띠며 곤란하게 한 것이다.

2023년 7월 24일 월요일부터 28일 금요일까지

갑조교가 상담실 방문을 자주한다. 혹시 간접적 가스라이팅? 또는 신고하러?

갑조교가 상담실 방면으로 향하는 것이 이번주에 자주 목격이 되었다. 을교수가 일부러 보는 것이 아니다. 생도들의 강의를 위해 이동하는 도중에 시야에 자주 목격이 되는 것이다.

을교수는 혹시 상담교수를 갑조교가 간접적 가스라이팅하려는 것인가? 하는 생각이 들었다. 특유의 밝아 보이는 하이톤의 (가식적인?) 목소리를 이용하는 것이다. '가식적으로' 라는 표현은 갑조교를 너무 매도하는 것이라고 생각할 수 있으나, 갑조교의 스침을 터치로 해서 위원회에 신고하고 또 다시 한번 마주치는 것을 불편하다고 위원회에 다시 이야기 하는 행동은 충분히 그렇게 보인다.

이 날 중에 1번이 젖은 머리로 상담실에서 나와서 생도가 고민을 상담하고 심각해서 다시 장학국 사무실에 가는 줄 오해한 날이 있다.
이 날 중에 1번이 교무국장 김태희 교수와 마주쳐서 인사를 나누고, 갑조교에게 인사를 한 날이 포함되어 있다. 교수가 조교에게 인

사를 한다는 표현도 이상하다. 그러나 갑조교의 이상한 행동에 의
해서 인사를 한다는 표현이 된다. 심지어 총장이나 부총장도 인사
를 나눈다는 표현을 쓰기도 한다. 하여튼 이상해졌다.

2023년 7월 28일 금요일 11 : 30

갑조교의 가식적인 면을 보는 운명의 날이다.

오늘은 처음으로 4학년 졸업 생도들이 점심식사를 일찍했다. 생도들을 인솔하여 함께 식사를 하러 급식실에 도착했다. 순서에 맞추어 급식을 받고 있었다.

오늘은 11: 10부터 생도를 인솔하지 않는 교직원 식사가 진행된다고 연락이 왔다.

총장도 점심 식사를 하고 있었다. 총장이 점심 식사를 하는 모습을 본 것은 올해들어 오늘이 처음이다. 점심 식사 시간이 달라서 그랬을 것이다. 총장이 새로 부임해서도 처음이다. 교직원들이 식사하는 모습 속에 상담교수도 식사를 하고 있었다. 그런데, 그 옆에 장학국 사무실 갑조교도 함께 식사하는 모습이 보였다.

혹시 매일 저렇게 위원회 위원과 점심 식사를 하면? 갑조교의 간접 가스라이팅은 끝이 없겠다는 생각이 들었다.

그 주변에는 총장을 비롯한 많은 교직원들이 함께 식사를 한다. 주변이 갑조교의 간접 가스라이팅의 장소게 되었다.

3학년 생도의 마지막을 교무국장 김태희 교수가 인솔했다. 그런데, 약간의 꼬임이 발생하여 김태희 교수의 자리는 4학년 졸업반 생도들의 앞부분에 위치하게 되었다. 을교수는 을교수의 앞 자리를 양보하여 김태희 교수의 인솔 대열이 유지되도록 했다. 허물없이 지내는 교무국장 김태희 교수는 식사의 앞 순서를 양보하는 것은 대단한 대인배라고 농담을 하며 식사를 받았다.

　그러던 중,
　갑자기 갑조교가 을교수 쪽으로 오면서 급식실 여사님들께 1학기 고맙다고 인사를 한다. 예의 바른 듯한 모습인척 가장한다. 보통 그랬으면 '가장한다.'라는 표현보다는 예의 바르다고 했을 것이다. 그러나 갑조교의 생각의 기저는 선한 모습인척 가장하는 것이다. 특유의 하이톤 목소리와 함께, 그리고 약간은 바쁜 듯 하며, 종종 거리며, 허리를 다 펴지 못하고 생활한다.

　오늘은 그냥 넘어갈 듯 했는데, 갑조교의 또다른 모습이 정리가 되었다.

바쁜 듯 하며, 예절바른 척 하며, 특유의 하이톤 목소리로~

어디선가 본 듯한 바쁜 듯한 모습이다. 아! 을교수는 생각했다. 6월쯤 대학본부 사무실에서 바쁜 듯하면 자리를 피한 모습이다. 또 생각났다. 시청각실에서 바쁜듯하며 자리를 피한 모습이다.

그런데, 그런식의 예

특유의 하이톤의 고맙다고 인사를 한다. 인사를 할 수도 있다. '그런데 왜? 을교수가 있는데? 을교수가 있는 것을   못봤나?' 못본 것으로 생각하는 것은 갑조교의 행동으로 보면 용납되지 않는 다.

이렇게 인사를 하는 모습을 보며 을교수는 당황했다. 왜 갑조교 가 이쪽으로 왔지? 을교수는 생각도 못했던 일이다. 그리고, 급식실 여사님들에게 인사를 한다? 특유의 하이톤으로? 특유의 바쁜척 하 는 행동으로?

바로 앞에서 생도들을 지도하면서 생도들의 마지막에 서있던 교 무국장 김태희 교수와 또 옆에서 생도들과 함께 식사를 하던 기획 국장 이하늬 교수는 어떻게 생각할까?
왜 을교수가 있는 근처의 옆으로까지   가서 인사를 하며, 바쁜 척을 했을까?

교무국장 김태희 교수와 기획국장 이하늬 교수는 예의 바른척하는 가증스럽고 가식적인 모습을 확인했을 것이다.(후에 9월에 을교수가 물어보니 이상했다고 한다.)

이날 갑조교의 이중적인 가식적인 기타 등등의 행동이 정의되었다.
기존에는 어렴뿟한 이미지 정도 엿다.

사실 가식적이라고 하는 것은 하나만 봐도 알 수 있다.

'스침'을 '터치'로 악의적으로 워딩하여 위원회에 신고 : 이것은 이중적인 모습을 가장하는 것을 알 수 있는 가장 큰 것이다.
주위에서 누구를 보고 물어봐라. 스침과 워딩에 대해서. 심지어는 이런 것을 일삼는 사람을 꽃뱀이라고 지칭하기도 한다. 사회 통념상, 상식적인 선에서 그렇다.

젖은 머리, 종종 걸음, 뒤뚱거리는 움직임,
특유의 하이톤 목소리와 웃음소리 : 자세히 오랫동안 지켜보면 알 수 있다.
음식물 찌꺼기 처리도 마찬가지다.

이렇게 갑조교에 대해 이중적이고 가식적이고 악의적이고 살의적인 모습을 찾았더니, 물에 빠진 것을 구해줬더니, 봇짐 내놓으라는 격?

사실 갑조교가 위원회에 고마워해야한다. 그때 위원회가 갑조교를 다독였기에망정이지 그냥 법대로 했으면 증거가 없는 갑조교가 더 불리했다. 평소 을교수는 증거를 가지고 이야기 하는 인품의 소유자가 아니다.

또한 을교수는 물에 빠지지도 않았다. 물에 빠졌다고 하는 것은 갑조교의 일방적이고 악의적인 주장이다. 신발 밑 창 1cm도 젖지 않았는데 너 물에 빠졌어 이런것과 비슷하다.

2023년 7월 28일 금요일

을교수는 특기적성국장을 담당하고 있다.

그래서 15시를 전후하여 이번 여름 방학때 운영되는 특기적성국 강의실을 돌아볼 것이다.

특별히 공사로 인하여 장소가 변경된 강의가 있기 때문이다.

어느 정도 상황을 보고 15:30분에 퇴근했다.

7월 31일 월요일과 8월 1일 화요일은 한번 더 아침에 돌아볼 것이다.

2023년 7월 30일 일요일

소설의 결말을 생각 중이다.

2023년 7월 31일 월요일 08:55

특기적성 여름방학 프로그램이 시작하는 첫날이다. 특기적성국 을교수는 7월 28일 금요일 이후에, 7월 31일 잘 진행되는지 알아보기 위해 출근했다.

출근하는 길에 재무처장이 1층 현관로비에서 대학교 안내 여사님들과 이야기를 하면서 을교수를 보고 놀라는 모습을 보였다. 을교수는 재무처장과 여사님들과 인사를 나눴다. 을교수는 특기적성 수업이 시작되니, 특히 장소가 바뀌고, 공사를 하고 있어서 걱정이 되어서 출근했다고 했다.

재무처장은 여름방학에 이루어지는 특기적성 프로그램 시간과 장소를 알려주라고 부탁했다.

을교수는 가방을 대학본부 사무실에 놓고 방학에 특별히 출근했으니 총장과 인사를 하고 특기적성 수업이 잘 진행되는지 돌아보려고 했다.

을교수가 대학본부 사무실에 가방을 놓으려고 들어가는 순간 있을거라 생각되는 대학본부 사무실 조교의 모습이 생각하는 모습과 달랐다. 아뿔사! 갑조교가 있는 것이다. 머리는 젖었다. 안경을 쓰고, 흰 티를 입었다. 갑조교가 있어서 놀랐고, 머리가 젖어 있어서 또 놀랐다.

갑조교는 방학이 되었어도 여전히 젖은 머리를 하고 출근한다.

갑조교가 대학본부 사무실에 있어서 놀란 나머지 가방 안에 핸드폰이 있는 것을 잊고 그냥 대학본부 사무실을 나왔다. 그리고 총장실에 들러서 간단히 인사를 하고, 특기적성 수업이 진행되고 있는 강의실을 살펴봤다.

그런데, 스마트폰이 없는 것을 발견했다. 수업이 잘 진행되고 있는지 사진을 찍어야 했기 때문이다. 다시 대학본부 사무실에 갔다. 역시 갑조교가 있었다. 얼른 스마트폰만 꺼내서 나왔다.

특기적성 프로그램은 잘 진행되고 있었다.

특기적성국 사무실에 가서 특기적성국 사무실 조교와 여름방학 특기적성 수업의 진행에 대해 간단히 이야기를 나눴다.

내일 다시 보자고 하며, 대학본부 사무실에 갔다. 가방이 있어서 가지러 가야했기 때문이다. 다행히 갑조교는 없었다. 장학국 사무실이 여름 방학에는 공사로 인해 대학본부 사무실로 이동한다는 것이다. 대학본부 사무실 조교가 귀띔해줬다. 대학본부 사무실 조교의 귀띔은 갑조교가 생각보다 많이 간접적 가스라이팅을 하고 있는 것을 의미한다.

대상은 총장, 부총장, 재무처장, 대학본부 사무실 조교가 될 것 같다. 범위가 더 커질수도 있다.

을교수는 바쁘게 이곳 저곳을 돌아다녀서, 대학본부 사무실에서 맥심으로 아이스커피를 탔다. 맥심으로 아이스커피를 타는 과정은 보통은 다음과 같다. 얼음을 넣었을 때 적당한 농도가 되기 위해 물을 적게 넣는다. 물을 적게 넣으면 티스푼으로 많이 저어줘야한다.

간혹 커피를 젓는 티스푼에 커피가 굳어 있는 것을 본 경우가 있을 것이다. 이것과 비슷하다.

을교수는 커피가 굳을 까봐 티스푼을 입으로 붙어있는 커피를 제거했다. 대학본부 사무실 조교가 '그건 너무하죠!' 그랬다. 을교수는 깨끗이 씻어서 넣을 거라고 했음에도 그건 그렇다고 대학본부 사무실 조교가 그랬다. '그래요. 커피가 굳을까봐요.' 또한 커피가 굳어 있어서 제거하고 있는 도중에 갑조교가 올까봐 빨리 대학본부 사무실을 벗어나려고, 더 서두른 것도 있다.

여름방학 동안 숟가락을 빤 것이 갑조교에게 을교수의 흠이 되지 않았으면 한다.

을교수가 씻은 티수푼은 어떻게 보면 우리가 음식점에서 사용하는 숟가락보다 더 깨끗이 씻은 티스푼이다. 약간은 걱정이 된다.

7월 31일 월요일 대학본부 사무실에서 대학본부 사무실 조교와의 대화에서 알 수 있는 것.

대학본부 사무실 조교가 을교수에게 갑조교가 여름방학때 장학국 사무실 공사로 인해 대학본부 사무실에서 근무한다고 귀띔해준 것은 다른 말로 표현하면 대학본부 사무실 조교도 을교수와 갑조교의 불편한 관계를 인지하고 있다는 뜻이다.

그렇다면 어디까지 소문이 퍼지고 있을까?

보통 이런 소문은 가까운 곳이 조심하느라 가장 늦게 퍼진다.

하여튼, 이제는 마음을 고쳐먹었던데로, 또한 기획국장 이하늬 교수의 조언대로 강하게 나갈 것이다.

오늘 을교수의 출근으로 을교수는 평소에 궁금해 했던 을교수와 갑교수의 소문의 범위를 짐작하게 되었다.
그리고 갑조교의 간접 가스라이팅이 예상대로 잘 진행되고 있구나 하면서 씁쓸히 생각했다.

<7월은 바쁘다>

갑조교 때문에 업무 진도나가는 것에 진척이 적다. 대학본부 사무실에서 상의 해야할 것들이 있다.

시설 공사.

 생도들의 환경 개선을 위해 공사를 한다. 특기적성 과목의 강의실 변동이 있다.

특기적성 바티칸 환급 및 반환

시스템 변환으로 딜레이 중

특기적성 바티칸 환급은 이번에 장학국에서 특기적성국으로 이관된 업무이다.
 3월 초에도 바빴다. 그리고 6월에 해야했지만 시스템 변환으로 딜레이가 되고 있다. 결국은 7월에 들어서 작업을 하고, 환급 작업을 마쳤다. 작년에 특기적성 바티칸 환급을 작업했던 장학국장 김교수의 도움이 컸다. 결과적으로는 그렇게 큰 작업처럼 보이지 않지만 메커니즘을 이해하는 것부터가 큰 일이다. 그리고 일일이 하나씩 작업해야한다.

재무처의 주무관의 협조와 특기적성국 조교의 협업으로 완성했다. 작년 작학국장 김교수의 도움과 이름 바탕으로 재무처의 주무관과 특기적성국 조교가 3번 이상의 회의를 통해서 완성된 작업이다.

이 과정에서도 3번의 데이터 수정이 있었다. 특기적성 바티칸 환급은 힘들며 복잡하고 번거로운 일이다.

8월부터는 별일이 없으면 좋겠다.

2023.08.01. 화

8월이 되어도 갑조교의 별일이 있어서 시작한다.

특히. 갑조교가 대학본부 사무실에서 여름에 근무한다고 하니.....

어제는 몰라서 갔지만 오늘은 안이상 발걸음이 쉽게 떨어지지 않는다.

그래도 공사로 인해서 생도들의 특기적성 교육이 어려움이 있다고 총장에게 이야기했다. 대학본부 사무실에 들러서는 대학본부 사무실 조교에게 어제 티스푼에 대해서 이야기 했다.

2023년 8월 17일 목요일

논문발표 준비를 위해서 방학 중이지만 일찍 출근했다.

대학본부 사무실에 부총장이 출근한 것을 알 수 있었다.

그러나, 갑조교가 장학국 사무실 공사로 인해 대학본부 사무실에서 근무한다고 하니, 대학본부 사무실에 가는 것이 껄끄러웠다.

근무표를 보니, 역시 갑조교가 출근한다고 했다.

여기서 중요한 사실이 발견되었다.

갑조교의 출근 표시가 메신저에 없었다. 주차장에도 갑조교의 차가 없는 것 같았다. 출근하지 않고, 마치 근무표에만 출근했다고 했을까?

'설마~~~'

갑조교는 그러고도 남을 것 같다. 이미 부총장과는 콜롬비아세계윤리사관대학교에서 친분이 있다.

갑조교 때문에 학교생활에 어려움이 발생하고, 대학본부 사무실에 방문하지 못하고, 기본 인사와 같은 것들 조차도 제대로 하지 못하니, 갑조교에 대해서 근무태만이라는 이런 생각까지 든다.

2023년 8월 18일   금요일

　논문발표 준비의 막바지 단계이다. 그래서 방학 중이지만 어제보다 더 일찍 출근했다.
　오늘은 부총장이 출근하고 갑조교가 출근하기 전인 사이를 틈타 대학본부 사무실에 가서 부총장과 인사를 했다.

　물론 갑조교는 오늘도 출근하지 않을 것이다.

　오늘은 과연 갑조교가 출근할까?

　퇴근하는 길에 대학본부 사무실에 들림 : 대학본부 사무실 조교가 없는 모습, 장학국 사무실 조교 없는 모습

　을교수는 갑조교의 절대 갑질에 의해 논문, 집필, 출판, 건강 악화 등 여러 가지에서 어려움을 겪고 있다.

　그 와중에 다행히 논문은 시간 내에 완성했다.

　퇴근하는 길에 대학본부 사무실을 들렸다. 갑조교가 대학교 내에

있는 느낌은 없었다. 이런 것은 보통 직감이 맞는다. 확인하는 방법은 CCTV 간단하다. 갑조교의 현재 위치는 핸드폰 서비스만 이용해도 알 수 있다.

2023년 8월 17일 목요일 ~ 2023년 8월 18일 금요일

갑조교는 거의 출근을 하지 않았다.

물론 갑조교의 근무태도 및 복무를 악의적으로 편집했을 수도 있다. 그런데 거의 사실이다. 이것은 핸드폰의 위치추적 서비스, 휴대전화 기지국, 카드 사용 내역, 대학교 CCTV, 주차장 CCTV, 집 CCTV 등 확인할 방법은 많다.

확실한 것은 메신져에 출근 표시가 없다는 것이다. 출근표시가 있어도 IP추적을 하면 간단히 알 수 있다. 그래서 메신져를 켜지 않았을 수도 있다.

8월 16일 수요일도 부총장이 출근했다. 갑조교는 수요일에도 비슷한 복무를 하지 않았을까? 하는 합리적 의심이 된다.

부총장은 콜롬비아세계윤리사관대학교에서 갑조교와 함께 근무한 친분이 있다.

그래서, 갑조교에게 방학중 근무의 윤활유를 줬다고 생각할 수 있다. 그러나, 갑조교는 을교수에게 너무 가혹할만큼 잔인하게, 생명의 위협이 될 만한, 절대 갑질을 했다.

안타깝지만 대학본부 사무실 조교도 비슷한 복무를 하고 있는 것 같다. 대학본부 사무실 조교는 평소 부총장와 함께 근무하니 이해가 간다. 대학본부 사무실 조교는 따뜻한 사람이다. 이런 윤활유를 가져도 될만한 충분한 사람이다.
갑조교와는 결이 다르고 경우가 다르다.

같은 조교이지만 특기적성국 사무실 조교는 2023년 8월 19일 금요일 병가를 신청하고 출근하지 않았다.

갑조교는 근무태도도 생각보다 나쁘다. 누구에겐가 적용하는 엄격하다 못해 잔인한 잣대를 자신에게는....

갑조교가 잘 출근했다면 의심을 해서 갑조교에게 미안하다. 그러나 조사하면 알겠지만 미안한 일은 결코 없을 것이다.
이것을 근태로 대학본부에 신고한다고 하지 않은 것이, 을교수가 보이는 갑조교와의 차이이다.

2023년 08월 15일 광복절 즈음

을교수의 건강 상태
일어나거나 누워있는데 지구가 도는 느낌
오른손 손가락 통증

2023년 08월 19일 토요일

새로운 결말을 추가로 생각하다.

1. 기존 결말 : 그대로 갑조교 인사하기, 행사 참여하기 등

새로 추가한 결말

2. 설문지 친구 : 바쁘다는 핑계로 거부

3. 설문지 친구의 신고 1
    갑조교의 방학 중 근무 형태
    대학본부 사무실 조교 및 부총장 물고 늘어짐 : 본성

4. 설문지 친구의 신고 2
    설문지 친구의 시간 강사 자리 :
      특유의 가식적인 모습으로 중간에 낚아 챔

5. 갑조교 대학원 졸업 : 수업일수 부족으로 취소

　　해외 출국 기록에 의해

　　최소한의 요건

　　　이것도 설문지 친구의 신고

　　그냥 교수와 짬짬이

　　　결과 : 대학원 졸업 취소

　　　　대학원 교수 징계

　　　　따라서 시간강사 자리 요건 부족

　　　　원래대로 설문지 친구가 가져감

6. 졸업으로 인해 이직 준비

　　대학교 사표 2월말

　　졸업 요건 부족으로 취업 불가

　　대학교 다시 출근 부탁 : 부총장 거절

2023년 8월 20일 일요일

<갑조교의 방학중 복무>

<宋襄之仁>과 상례

2학기에 생각하는 것

연구, 집필, 운동, 명상, 건강관리

수양 : 태극권, 다도, 글씨

2023년 8월 22일 화요일 8:40

08:40에 재무처에 재무처장이 있는지 확인함.

논문 발표를 위해 직인이 필요함.

그리고 대학본부 사무실과 총장실 방문함.

논문 발표를 위해 직인을 찍었다고 이야기함.

2023년 7월과 8월은 특히 더운데, 갑조교로 인해 힘듦.

2023년 8월 22일 화요일 11:00

　오늘은 출근한 교직원에게 대학교에서 점심 식사를 준다고 했다. 을교수는 이미 출근했으므로 점심을 해결하려고 했다. 그런데, 갑자기 갑조교도 출근했다는 것이 생각났다. 잘못하면 함께 식사를 해야하는 어처구니 없는 일이 발생한다.
　그러면 연구실로 식사를 가져와야하나?
　다시 시작되는 아픔이다.

　갑자기 을교수에게 사악한 마음이 들었다. 평소 을교수라면 그러지 않을 것이다. 그런데 대상이 갑조교라면?

　을교수는 컴퓨터로 로마 바티칸 세계윤리사관대학교 본부 전화번호를 검색했다. 그리고, 전화기를 들었다.

　근무를 태만히 하는 갑조교를 심판하기 위해서다. 열심히 근무하는 사람들에 대한 배려이다. 또한 열심히 시간을 내어 대학원을 수학하는 사람들에 대한 배려이다.

　그런데, 전화번호를 누르면서 한 번쯤은 상의를 해야할 것 같은 생각이 들었다. 상의할 대상은 교무국장 김태희 교수와 기획부장 이하니 교수다. 사실 이 두 명의 교수에게 상의를 하는 것은 답이 정해져있다. '을교수가 이해는 간다. 너무 잔인한 것 같다. 을교수의 고충은 알지만 한번정도 기회를 주는 것이 좋겠다. 평소 을교수는 그런 사람이 아니다.' 등의 답이 나올 것이다.

을교수는 상의한다는 것을 핑계삼아 갑조교에게 한번의 기회를 더 주는 것이다.

을교수는 이 정도로 배려가 있고 따뜻하고 사려 깊은 사람이다.

교무국장 김태희 교수나 기획국장 이하니 교수와 같이 을교수의 주변에 있는 사람도 이 정도로 배려가 있고 따뜻하고 사려 깊은 사람들이다.

두 교수 다 을교수와의 상황은 다르게 복무에 관한 것은 빠져나갈 수 없는 중대한 사안이라고 했다.

갑조교가 저번에 봐줬는데 이러는 것(글로 쓰는 것, 갑조교 조사하는 것)은 너무 심하다고 생각하는 사람들이 있을 수 있다. 봐줬는데라는 표현자체가 이상하다.

문제가 다르다.

사실 갑조교가 을교수에게 하는 것은 그냥 증거가 없는 감정의 문제를 삼은 것이다. 상식적이지도 않고, 사회 통념적이지도 않다. 있지도 않았을지 모르는 스침을 터치로 악의적 워딩한 것이다. 갑조교 정도의 사람이라면 스침의 유무도 정말 생각해봐야 할 필요가 있다.

그러나, 현재 을교수가 갑조교에게 하려는 것은 실제로 명확히 증거 삼을 수 있는 것이다.

갑조교의 흠결을 잡기보다는 갑조교의 성향이 어떤지 알기 위함이다. 갑조교가 어떤 성향이기에 스침을 터치로 워딩하고 신고했는지 살피기 위함이다. 어떤 성향이기에 터침을 성으로 신고하여 사람을 곤경(심하게 말하면 죽음)에 이르게 하는지 분석하기 위해서다.

2023년 8월 22일 점심

　오늘은 대학교에서 점심 식사를 제공한다. 대학교도 출근했고 겸사 겸사 점심도 해결하면 좋을 것 같았다. 유교수가 점심식사 하냐고 물었다. 그래서, 점심 식사를 한다고 했다.

　갑자기 드는 생각이다. 갑조교도 점심 식사를 한다고 하면 어쩌지? 이미 점심식사를 한다고 해버렸는데...　을교수는 지난번 총장의 환영회도 갑조교의 관계로 인해 참석하지 않았었다.

　점심이 우울하다.

　유교수에게 그냥 간다고 할까?　그것도 이상하다.
　을교수에게 고민의 시간이 되었다. 이런것도 고민해야 되나?
　정말 갑조교의 만행은 심하다.

　그러던 중,

11:00~13:00 까지 갑조교의 출장 소식을 들었다.
　을교수는 다행이라 생각했다.

그런데, 을교수가 생각하는데, 정말 출장일까? 아니면 을교수와 식사 자리를 피할려고 그랬나? 별 생각이 다 들었다.

하여튼, 갑조교는 13:00까지는 대학교로 복귀해야 한다.

과연 할까?

14:00이 되어도 갑조교의 복귀는 이루어지지 않은 의심 정황이 보인다.

2023년 여름 7월과 8월은 특히 더운 여름이었는데, 을교수는 갑 조교로 인해 매우 힘들고 어렵게 보내고 있다.

2023년 7월과 8월의 갑조교 복무 사항

7월과 8월에 갑조교는 대학원을 다닌다.
개인의 발전을 위해 방학을 활용하는 것은 좋은 일이다.

을교수는 이런 것으로 딴지 거는 사람이 아니다.

그러나, 공과 사는 구분해야 한다.

7월과 8월 갑조교는 오후 조퇴가 많다. 근무 시간을 검토할 필요
가 있다.

대학원 강의가 13:00에 시작한다. 그런데 갑조교는 13:00에 조퇴
를 했다. 이것은 물리학적으로 불가능하다. 조퇴는 최소 12:30에는
냈어야 한다. 이것도 많이 배려한 시간이다.

출장도 살펴봐야한다.

한국세계윤리사관대학교에는 출장으로 하고, 대학원 수강을 하면
원칙적으로 맞지 않는다.

둘중에 하나는 거짓이고, 그 결과는 대학원 이수에 여향을 주어 학위 취득에 영향을 끼치며, 대학원 관계자도 학위 발급에 대한 책임을 지고, 갑조교는 복무에 대한 책임도 져야한다.

근무지 이탈

식사 중에 스침을 터치로 악의적으로 워딩하여 사람을 옥죄일 정도의 청렴함 등이 있으면 본인도 그렇게 청렴하게 철두철미게 살아야 한다.

오후 출장이 많다. 대학원 출석이라는 합리적인 의심이 된다.

방학중 갑조교의 복무를 보면,
7월 24일부터 8월 11일 까지는 오후에 대학원 수업을 듣는다.

대학원 수업은 공식적으로 13:00에 시작한다.
갑조교는 13번의 연가(조퇴)를 신청했다.
시간은 13:00부터 16:30까지 이다.
그중 1번은 8월 10일 08:30 ~ 13:00 출장이고,
                13:00 ~ 16:30 까지 조퇴이다.
한번의 학습휴가가 있다. 08:00~16:30 8월 2일이다.

연가를 이렇게 많이 사용하고 나니, 대학교 방학 중 복무에 8월 16, 17, 18일은 배려를 유도하여, 융통성을 발휘하여 자체적으로 쉬었을 수도 있다.

　합리적 의심이다. 특히, 8월 17일과 18일에 을교수가 출근 했을 때 갑조교는 출근의 흔적이 없었다.

　이렇게 생각하면 이번 방학은 갑조교가 빠져나갈 수도 있다. 아니다 명확하다. 이런 것은 빠져나갈 수 없다. 그리고 추가로, 최근 몇 년 간의　갑조교의 방학 중 복무를 보면 많이 발견할 수 있을 것이다.

　2024년 1월의 갑조교의 근무는 생각보다 많이 자유로워 보인다. 누군가의 배려가 있을 수도 있으나, 타인에게 수준 높은 도덕성을 요구하는 갑조교는 자신에게도 수준 높게 도덕적으로 행동해야 한다.

2023년 8월 23일 수요일 09:45

　오늘은 갑조교가 장학국 사무실 청소를 한다. 8월 22일 화요일 (어제)도 했는데 다하지 못한 듯 하다. 열심이다. 하기야 어제도 출장이 있고, 복귀를 하지 않은 느낌이 있으니, 오늘도 장학국 사무실 청소를 해야하는 것은 당연한 것 같다.

　한국세계윤리사관대학교에서는 장학국 사무실 옆에 정수기가 있고, 그 정수기 옆에 화장실이 있다. 화장실 입구에는 막대 걸레를 빨 수 있는 곳이 있다.
　이 정수기는 지난번 컵라면 찌꺼기를 버려서 생도들의 공분을 샀고, 컵라면 찌꺼기를 버린 사람이 갑조교로 순식간에 좁혀지는 상황을 만들었던 정수기이다. 정수기의 위치가 장학국 사무실 바로 옆이다. 옆에는 컵라면 찌꺼기 정도는 버릴 수 있는 곳이 있다.

　9:45분경 화장실 입구가 물로 엉망 징창이 되어 있었다. 그리고 물자국이 많이 났다. 물자국은 정수기를 지나 장학국 사무실로 향했다.
　사람들이 넘어지면 어쩌려고 저렇게 물자국을 내놓나 하는 생각이 들었다.
　맥도날드나 버거킹과 같은 패스트 푸드를 파는 곳에 가도 청소중에 습기로 미끄러움이 있으면, 미끄럼 표시를 해서 사람들이 넘어지지 않도록 배려한다.

갑조교는 너무 자기 중심적인 것 같다.
근무나 생활 등 여러 면에서 자기 중심적인 것 같다.
배려도 없는 것 같다. 머리도 나쁜 것 같다.

2023년 8월 25일 금요일 오후 (15:00)

  의무교수의 방문 및 면담

  의무교수가 을교수의 연구실을 찾아왔다. 을교수가 담당하고 있는 4학년 졸업반 생도 중에 한 생도가 의무실을 방문했는데, 생도의 건강 상태가 걱정되어서 방문했다고 했다.

  을교수도 그 생도의 건강 상태를 어느 정도 걱정하고 있었다. 가장 큰 문제는 편식이 심하다는 것이다. 을교수가 급식실에서 그 생도 옆에서 식사를 하는데, 그 생도가 싫어하는 음식이 많았다. 새우도 싫어하고 연어도 싫어하고 감자탕도 싫어한다고 했다. 이 세가지는 이날 점심 메뉴에 있었던 것으로, 느낌으로도 이번 점심의 주된 식재료가 된다는 것을 직감할 수 있다.

  나름 고가이며, 특히 영양소가 풍부한 식재료 들이다. 이러한 음식을 싫어하니, 영양소가 부족하고, 의무실에서도 특별히 해 줄 것이 없는 것이다. 일단은 편식을 해결하고, 정상적인 체중이 되었을 때 다른 해결책을 찾아야한다.

  그러면서, 의무교수가 그 생도의 생활적인 부분을 을교수에게 물었다. 을교수는 편식이 많은 것으로 미루어 봐서, 생활적인 면도 긍정적인 것보다는 부정적인 것들이 많다고 하였다. 다른 생도들과의 관계도 비슷하다고 했다.

의무교수가 '아~~! **수가 틀어지면** 그러는 군요~~!' 이렇게 표현했다.

정말 좋은 표현이다. 많이 들어봤던 표현이다. 종종 사용하는 표현이기도 하다.

이제까지 갑조교의 행동을 정의할 때 뭔가가 아쉬웠다.

'수가 틀어지다.'라는 표현은 갑조교의 행동에 딱 맞는 표현이다. 이 글에 나오는 수가 틀어지다는 표현은 의무교수와 생도들과 면담하던 중 나온 표현으로, 2023년 8월 25일 오후부터 사용한 표현이다. 2023년 8월 25일 이전 시점에서 나오는 '**수가 틀어지다.**'라는 표현은, 편집의 과정에서 다시 사용한 것이다.

2023년 8월 28일 월요일

　지난 주 금요일 생도들의 다양한 경험과 다양한 문화체험을 위해 업무 추진 계획서를 제출했다.

　계획서라는 것이 간단하게 몇 마디 또는 몇 줄의 글이라고 해도 계획하는 사람에게는 상당한 고민의 결과이다. 그리고 계획서가 틀어지면 다시 새롭게 시작하는 것은 어려운 일이다.

　을교수는 생도들의 다양한 경험을 위해 차(茶에) 관한 물건을 구상했다. 경험을 위한 도서도 일관성 있게 차와 관련해서, 그쪽으로 구상했다. 간단해 보이지만 도서관에서 몇 번에 걸쳐 어려 책을 살펴본 결과이다. 차는 보관성이 용이하다고 하지만, 장시간 보관할 수 있는 것은 아니다. 장시간 보관해도 되고, 장시간 보관하면 가치가 상승하는 차는 보이차이다. 또한 보이차는 현대 생활에서 스트레스로 인한 위장 관련 질환에 좋다고 알려져 있다. 생도들에게는 좋은 경험이 될거라고 생각했다.

　지금의 차의 경험으로 커피 바리스타와 같은 미래 직업의 확장을 구상하기도 했다.

　평소 예산으로는 사용하기 힘든 피스톤필러 방식의 만년필도 구상했다. 피스톤필러 방식은 대부분 고가이다. 10만원 이내에서 경험해 볼 수 있는 대만의 트위스비 제품이다. 트위스비 제품의 아쉬운

점은 메탈 펜촉이라는 것이다. 고급 만년필은 금촉을 사용한다. 피스톤필러 제품의 만년필을 몽블랑에서 사려면 최소 90만원 이상은 쥐야 한다.

을교수는 이미 몽블랑, 펠리칸, 라미 트위스트, 라미 2000, 워터맨 등의 금촉을 가진 만년필 들을 가지고 있다. 몽블랑, 펠리칸, 라미 트위스트 등은 60만원 이상은 쥐야 구매할 수 있다. 워터맨, 라미 2000 등은 20만원 이상은 쥐야 구매할 수 있다. 60만원대 몽블랑은 카트리지 방식이다. 피스톤필러 방식은 더 고가의 레벨이다.

그리고 2023년 8월 현재는 매일 10분 이상의 시간을 들여서 관리해줘야 하는데 하지 못해서 아쉬워 하고 있다. 갑조교와의 일로 인해 관심에서 벗어나 있어서 그렇다.

그 외의 만년필도 다수 보유하고 있다. 계획서에 구상한 트위스트 만년필도 이미 구매했다.

또한, 좋은 만년필을 사용하는 사람이라면 알 것이다. 만년필을 일반 필기도구와 힘께 보관해서 사용하면, 만년필 몸통에 기스가 난다. 속상한 일이다. 그래서 만년필은 펜파우치에 보관한다.

전체적으로 몇 일에 걸쳐서 구상했다. 그런데 새로운 신임 총장에게 거부되는데는 10분도 걸리지 않았다. 신임 총장에게 거부되는 것은 큰 문제가 아니다. 그러나 갑조교가 이미 가스라이팅을 했다면 문제는 달라진다.

을교수에 대한 임계치에 다다라서, 을교수가 주장하기 어려워지는 면이 발생한다. 그래서 을교수는 주장하지 못했다. 갑조교로 인한 피해 및 폐해가 여러 영역에서 발생한다.

신임 총장이 목록을 자세히 본다는 것은 이미 잘 알고 있다. 그래서 나름 신중하게 생도들을 위해서 고민하고 선택하여 구상한 것들이다.

물론 총장의 관점 및 가치관의 방향에 따라 바뀔 수도 있다.

총장의 관점에서는 왜 필요한가? 이러한 생각인 듯하다. 그러나 이러한 것들을 하지 않으면, 언제나 따라가기만 한다. 스티븐 잡스, 빌 게이츠, 일론 머스크 등 선도하는 사람들은 나올 수 없다.

그러나, 을교수가 생도의 경험을 위해 구상했던 것들은 그냥 통과되어 되는 무방한 것들이었다. 어떤 사람들은 좋은 경험이다. 해봐야 는다(발전이 있다). 등의 반응을 보이는 것들이다. 뒤에 다시 작성한 것도 대동소이하다. 관점에 맞춰지도록 약간의 언어 수정을 한 것이다. 어떻게 보면 저번 계획서가 더 좋았다. 후에 회의에서도 관점의 변화에 따라 예산을 어떻게 사용할 수 있을까 하다가 결국

이야기만 하고 사용하지는 못했다. 예산의 사용 목적에서 을교수가 제시한 것보다 더 벗어났기 때문이다. 그러나, 그 때는 거의 통과될 뻔 했다. 총장의 관점이 너무 큰 비중을 차지하면 스스로 자기 검열을 통해 유연한 사고를 하는 발전이 저해된다.

요즘 을교수는 갑조교로 인해서 극도로 조심한다.

이번에 계획서가 어그러져서, 새롭게 구상해야한다. 그리고 관점을 다시 잡아야 한다.
갑조교와의 일로 업무상 임계점에 쉽게 다다른 느낌이다. 이렇게 되니, 을교수의 입지가 많이 좁아진 느낌이다.
을교수는 많이 힘들어 했다.

계획서의 추진 불발, 갑조교와의 일만 아니라면 더 목소리를 냈을 것이다. 그래서 긍정적인 방향으로 진행했을 것이다.

그래서 다시 계획서를 시작해야한다.

계획서를 다시 시작하는 것도 문제이지만, 신임 총장이 을교수를 어느 관점이 보는 것이 더 문제이다.

그런데 을교수는 구구절절 하소연하기가 막막해 했다.

2023년 8월 28일 월요일 오후 갑자기 든 생각

    을교수는 갑자기 생각이 들었다.

    5월 부총장과 을교수의 면담이 있었다. 그때 갑조교에 관한 일이라고는 생각도 못했다. 그때 면담 후, 그냥 흘러가는 듯 했다. 그런데, 갑조교가 갑자기 신고를 했다. 왜? 왜였지? 하는 생각이 들었다.

    갑조교에게 무슨 심경의 변화가 있었을까?

    혹시, 또 다른 누군가의 조력자가 있었나?

    갑조교와 같은 일을 하는 사람들은 봉사 단체, 여성 단체, 종교 단체 등과 같은 이익 단체와 교차점이 있다. 그래서 갑조교는 수가 틀려서 을교수를 엮었을 수도 있다.

의무교수와 가볍게 인사했다. 의무교수는 9월 1일부로 이직한다. 그래서 한가지 워딩에 대해 말했다. 스침과 터치는 다르다는 것이다.

을교수의 주관적인 생각이지만 지금까지의 을교수의 생활 모습을 보아 온 의무교수는 을교수에 대해서 긍정적으로 생각한 듯 하다. 갑조교에 대해서는 너무 했다는 뉘앙스를 을교수는 느꼈다.

갑조교는 특유의 하이톤의 목소리로 사람들에게 밝게 대하지만 곧 가식적이라는 것은 사람들은 구분할 수 있다. 갑조교가 을교수에게 했던 것을 알면 금방 발견할 수 있다.

2023년 9월 1일 금요일

6개월만의 해외 연수 후 복귀한 의무교수와 가볍게 인사만 했다. 10월 쯤 한번 이야기 할 것이다.

10월 쯤 복귀한 의무교수와 이야기하는 것은 을교수가 먼저 갑조교와의 일을 이야기하면 이미 을교수를 알고 있는 의무교수가 색안경을 끼고 갑조교를 보기 때문이다.

의무교수가 공정한 시각으로 갑조교를 보고, 과연 갑조교가 어떤 사람인가를 분석하고 평가하기위한 기회를 주기 위함이다.

그러나 갑조교의 행동 하나만 가지고도 갑조교의 인간됨은 알 수 있다. 그만큼 인간됨을 알 수 있는 중요한 것을 갑조교는 행했다. 보통의 선한 사람은 그렇지 않다.

2023년 9월 4일 월요일   13:25

　기획국장 이하늬 교수와 잠깐 이야기 했다. 한국세계윤리사관대학교 교수진들이 서이초 49제에 참석하여 교육에 힘을 싫어 주는 것이 좋겠다고 했다. 교육은 기초가 중요하기 때문이다. 을교수는 불참하겠다고 했다. 보통은 그런 사람이 아니다. 갑조교의 옥죄임의 결과이다. 현재 을교수는 개인 신상문제에 매우 신경쓰고 있다.

　- 임계치에 관한 이야기 : 을교수는 임계치에 많이 도달했다.
　- 2023년 7월 30일 금요일 11:30
　　　방학날 급식실에서 갑조교의 행동은 갑조교를 숨겨진
　　　진면목을 볼 수 있게 한다.

2023년 9월 4일 월요일 17:30

　서이초 초등교사의 죽음이 대한민국의 교육계에서 파란을 일으키고 있다. 오전에 교무국장 김태희 교수는 같은 교직에 있으니 우리 교수들도 집회에 참석하여 대한민국 교육 발전에 이바지 해야한다고 했다. 그리고 을교수에게도 참석여부를 물어봤다. 을교수는 참석하고 싶지만 자중하는 중이라고 했다.

　오후에는 기획국장 이하늬 교수를 교직원 휴게실에서 만났다. 을교수는 임계치에 너무 다다랐다고 하며 참석하기가 힘들다고 했다. 이하늬 교수는 충분히 이해한다며 스스로 잘 챙기라고 했다.

　을교수는 이렇게 사는 사람은 아니다. 그런데, 행동의 반경이 좁아졌다.

　집회에 참석하고 한국세계윤리사관대학교 교수들이 저녁 식사를 한다고 하였다. 가볍게 식사라도 하면서 이야기를 나누면 새로운 래포가 형성되기도 한다.
　을교수는 그러지 못하고 있다.
　이런것에 소홀히 하니 지난번처럼 계획서의 반려가 발생한다.

을교수는 정신적으로나 육체적으로 업무적으로 많은 고통을 당하고 있다.

2023년 9월 5일 화요일 16:30

  을교수는 퇴근하는 중에 갑조교와 눈이 마주쳐 버렸다. 이런~~
이제는 이런 작은 것에도 상당한 정신적 데미지가 있다.

  하기야 강한 멘탈을 가진 사람이라고 해도 자신을 죽이려는 사람
과 함께 생활 한다는 것은 힘들 것이다.

2023년 9월 6일 수요일 13:06

갑조교의 쪽지가 도착했다.

칭찬 쿠폰은 앞으로 수요일만 생도들한테 받는 다는 것이다.

완전 자기 마음이다.

하기야, 부총장하고 친분이 있고, 재무처장하고 친분이 있고, 대학본부 사무실에세 수시로 가스라이팅을 하고 있으니, 그럴수도 있겠다.

2023년 9월 7일 목요일 07:58

아침에 뛰어서 출근하다 드는 생각이다. 갑조교가 주는 스트레스를 해소하기 위해 여러 방면에서 최선을 다하고 있는 중이다. 그러나 쉽지않다.

을교수의 대인 기피증은 어떻게 보상받아야 하나?
을교수는 주변에 있는 많은 사람들에게 최소한 악하게 하지는 않는다. 서로 인사하며 보통으로는 지낸다.
그런데, 요즘은 단순한 그것이 약간 힘들다.

건강과 여러 가지 생각 등 갑조교가 을교수에게 한 만행의 후유증이 계속 나타나고 있다.

2023년 9월 7일 목요일 전후

총장의 결재가 나다!

　소수의 특정 생도들의 다양한 경험을 위해 사용할 수 있는 예산이 있다. 큰 관점에서 보면 지난번 계획서와 큰 차이가 없다. 약간의 차이라고 볼 수 있다. 관점을 어떻게 보느냐의 차이이다.

　지난번 예산 사용 계획의 반려로 인해 무려 약 10일 정도의 새롭게 고민해야했다. 지난번 예산 사용 계획을 위해 10일 정도 이미 고민한 상태이다. 큰 틀에서 대동소이하다.

　이 결재가 통과되기 전인 수요일의 회의내용이다. 을교수가 계획한 예산을 다른 관점에서 사용하기 위한 회의가 있었다. 을교수는 요즘 말을 아끼고 있다. 그래서 회의가 어떻게 진행되는지 살펴 봤다. 지난번에 을교수가 제시한 계획서의 예산 사용 방향보다 더 크게 관점을 벗어나고 있었다. 소수의 특정 생도들의 관점을 소수의 특정 생도에서 다수의 생도로 확대하고 있었다. 모든 생도가 함께 이익을 본다고 하니 좋아하는 분위기 였다. 예산 사용의 희망으로 모두들 장미 및 청사진을 그리고 있었다. 담당하고 있는 을교수와 안교수는 잘못되고 있음을 직감했다. 그래도 너무 일찍 의견을 제시하면 네가티브라는 인식을 줄 것 같아서 의견을 제시하는 것을 참았다.

그리고, 의견을 정리하는 마지막에 부총장이 예산의 사용에 대해서 의견을 제시했다. 을교수는 예산의 방향이 소수의 특정 생도들을 지칭하는데 너무 확대되는 느낌이 든다고 했다. 이제야 회의에 참석한 교수들이 뭔가 잘못함을 직감했다. 결국 한참의 회의가 무의미해 졌다.

갑조교의 일이 있기까지는 이런 일은 일찍 의견을 제시해서 필요 없는 시간과 노력의 소모를 방지했다. 그러나 그렇게 하지 못했다.

결국, 갑조교의 만행으로 을교수의 입지가 좁아져서, 이렇게 되었다.

첫번째는 지난번 계획서의 반려이다. 이로인해 약 20일 이상의 시간 소비가 있었다.

두번째는 이런 회의이다. 네가티브라는 인상에서 벗어나기 위해 합리적인 의견제시도 하지 못하는 것이다. 결국, 여러 명이 손해를 본다.

2023년 9월 8일 금요일 08:30

    을교수는 출퇴근 복장에 신경을 쓴지 벌써 4개월이 넘었다. 을교수는 요즘 밝은 색 옷을 입지 않는다. 밝은색 옷이 혹시 갑조교의 눈에 잘 띨까 조심해서이다. 이것도 참 못 할 일이다.

2023년 9월 8일 금요일 10:30

 '공공부문 성희롱, 성폭력 관련 사건 통보 및 재발방지대책 제출 의무 안내'라는 공문이 왔다.

 해외 연수를 마치고 9월에 복직한 의무교수는 어떻게 생각할까하는 생각이 들었다.

 을교수는 약 3개월에 걸쳐 겨우 마음을 진정시키고 있었는데, 다시 심리적 압박감이 몰려오고 있음을 느꼈다.

 그래서 결국 금융업무라고 하고 조퇴를 했다.

 을교수는 주호민 작가가 생각났다. 그리고 갑조교가 생각났다.
 꼭 그래야만 했나? 그 정도 사안인가?
 갑조교와 함께 진흙탕 싸움을 생각중이다.
 나름대로의 자료도 있다.
 그냥, 놔 두기로 했다.

 그렇지만,
 갑조교의 행동은
 을교수의 웃음을 사라지게 하고,

영혼을 파괴하고,

정신을 혼미하게 하고,

이런 것들은 건강을 많이 상하게 한다.

갑조교에 의한 정신적 육체적 후유증은 오래갈 것 같다.

갑조교는 그것을 알지 모르겠다.

조퇴를 하는 도중에 교직원 휴게실에서 커피를 뽑고 있는 교무
국장 김태희 교수를 만났다. 김태희 교수는 오후에 출장이 있었다.
김태희 교수는 을교수에게 조퇴하냐고 물었다. 을교수는 오늘 온
공문을 보고 머리가 아파서 조퇴한다고 했다. 김태희 교수는 '그냥
보지말고 잊고 살아!'라고 조언해줬다. 역시 김태희 교수는 현명하
다. 을교수는 그럴려고 하는데 잘 않된다고 했다.

김태희 교수는 생각하면 더 힘들다고 하며 위로의 말을 해주었
다.

이날 을교수는 퇴근하는 길에 정신과 상담 또는 치료라도 받아야

할까 생각했다.

집 근처의 새마을 금고에 들렀다. 금융 업무를 보던중 새마을 금고에 설치된 TV에서 초등학교 교사의 자살소식이 뉴스로 나왔다.

2023년 9월 들어 교육계에서 자살 소식이 많이 들린다. 나름 힘듦이 있어서 그렇겠지만 을교수는 스스로를 추려본다.

2023년 9월 11일 월요일 08:30

정말 중요한 날이다.

지난주 금요일과 주말을 갑조교 때문에 또 힘들게 보냈다. 갑조교에 대한 근무 태만 증거가 필요하다. 그래서 남기기로 했다. 혹시 모를 갑조교의 2차 만행에 대비해서이다.

을교수는 갑조교의 출퇴근 기록을 증거로 남기기 위해 재무처에 들러서 방학 중 CCTV 녹화 기록 저장을 요청했다. 범위는 정문, 후문, 대학본부 1층 출입구, 1층 로비, 대학본부 사무실 가는 통로이다. 혹시라도 다른 길을 이용했다는 말은 할 수 없게 촘촘히 구상했다.

역시 예상대로 갑조교는 방학 중 근무를 자유롭게 한 것을 알 수 있었다.

'외통수'라고 그러나?
대학원의 수강과 대학교 근무는 물리적으로 양립할 수 없다.
다행이다. 증거로 남겨 놓아서.
사실 기록이 없어도 출장 기록과 대학원 수업기록을 보면 간단히 알 수는 있다.

2023년 9월 12일 화요일

　오늘도 갑조교의 머리는 젖었다. 오늘은 그냥 적으려하지 않았다.

　그런데 을교수와 유교수가 계단을 올라오던 중 갑조교를 만났다. 유교수와 갑조교는 인사를 나눴다. 을교수와 갑조교는?

　유교수가 이상하게 생각했을 것이다.

　그래서, 더불어 갑조교의 젖은 머리를 일지에 쓴다. 갑조교의 젖은 머리가 의미하는 것은 갑조교가 아침에 하는 자기 관리의 작은 부분이다.

2023년 9월 14일 목요일

KBS 2V 시사프로그램
한밤의 시사토크 더 라이브 22:50분에 방영된 내용이다.

정치적 편향성은 제외한다.

<스트릿 여야 우먼 파이터> 국민의힘 허은아 의원이 출연했다.

국민의힘 허은아 의원은 <여가부 저격수>로 불리며 핵심 주장 내용을 간추리면 다음과 같다.

여가부 폐지 주장 이유

여가부는 아름다운 남녀의 관계를 해야한다. 아름다운 남녀 관계는 사회유지의 초석이다. 그런데, 여가부는 남녀관계를 소모적 갈등의 구조로 만든다. 남녀 관계를 대결 구도로 만들어 결국은 공멸하게 한다.(최소한 생산적 경쟁의 구조가 필요하다. 남녀 관계를 화합 구도로 만들어 상생해야한다.)
특히, 여가부의 이권 카르텔은 정적의 간접적 사회적 제거 또는 간접적 물리적 제거 수단으로 사용한다. 아주 비생산적이다. 다른

이권 카르텔과는 그냥 경제적 수단이 대부분이다. 물론 이권 카르
텔을 응원하는 것은 아니다.

　을교수의 입장에서 보면 국민의힘 허은아 의원의 여가부 폐지 주
장에 웬지 손을 들어주고 싶다.

　여기에 또 다른 이익 단체가 있다. 물론 봉사 단체를 표방하는
이익 단체이다. 2023년 9월 대전의 한 초등학교 교사의 자살은 사
회적 큰 파장을 불러 일으킨다. '교육'이라는 범주를 말하는 것이
아니다. 사람을 생각한다고 표방하는 인권 단체에 기부를 한다. 그
런데 그 봉사 단체는 기부의 자양분을 토대로 성장하여 다시 기부
하는 사람을 공격한다. 인권 단체의 모순이다. 인권 단체의 자가 당
착이다. 그래서 대전의 한 초등학교 교사의 자살로 인하여 그 봉사
단체 기부를 멈춘 사람들이 많이 있다.

　을교수의 정치적 성향을 표현하는 것이 아니다. 남녀 관계를 비
생산적인 소모적인 대결구도로 만들어 이익을 보는 단체나 집단이
있는 것을 말하고 싶은 것이다.

　이런 단체나 집단에 갑조고는 교차점이 있다.

2023년 9월 18일 월요일

  간만에 을교수는 갑조교와 마주쳤다. 마주치기보다는 지나갔다. 위치는 교직원 휴게실 앞이다. 장학국 사무실에서 갑조교가 퇴근하는 중에 특기적성국 사무실 조교가 업무 이야기를 하기 위해 대화하는 중이었다.

  상황이 갑조교를 피할 수 없는 상황이었다. 피할 수 없는 상황이라 일지에 남긴다.

  일지를 쓰는 것도 이제는 지친다.

  그냥 별일없이 2023년이 지나가면 좋겠다.

2023년 9월 19일 화요일

　점심 시간은 갑조교의 가스라이팅 시간이다. 갑조교 주변에서 총장 부총장 재무처장을 비롯한 교직원이 함께 식사를 한다. 다른 교직원도 함께 식사를 한다. 특히, 갑조교 바로 옆에서는 상담교수가 식사를 한다. 가스라이팅의 최적화되어 있다. 물론 상담교수이기 때문에 가스라이팅에 면역성이 있을 수도 있다.

　그러나, 위원회의 중요 인물인 상담교수까지 갑조교에게까지 가스라이팅 당하면 을교수의 입지는 좁아진다.

퇴근하는 길이다. 을교수는 평소대로 후문을 이용하여 퇴근하였다. 날씨가 좋아서 차를 이용하지 않으면, 주차장으로 갈 필요가 없다. 4학년 졸업반 지도교수들과 급하게 인사를 하고 현관을 나왔다. 운동화 끈도 조이지 않았다. 갑조교와 마주치기 싫어서였다. 현관에 오래 있으면 갑조교와 마주칠 확률이 높아진다. 그래서 현관에서 한번 꺾이는 곳으로 가서 운동화 끈을 조인다. 이것도 못 할 일이다.

그런데 갑자기 갑조교가 을교수 뒤로 지나갔다. 갑조교는 을교수가 자기를 일부러 기다렸다고 생각할 수 있다. 그리고 다시 클레임을 걸지도 모른다. 이제까지 한국윤리사관대학교에서 한 갑조교의 행동을 복기하면 그러고도 충분히 남는다.

을교수는 갑조교가 왜 그리지나갔는지 궁금하다. 보통 주차장 가는 방향과는 다르기 때문이다. 갑조교는 대학교 밖에 주차를 했다. 그리고 거기서 출발했다. 아뿔사 신호등 앞에서 또 마주쳤다. 을교수는 도로를 건너려고 했고, 갑조교는 자동차에서 운전하면서 신호를 대기하고 있는 상황이 되었다. 설마 이런것까지 걱정해야되나?

을교수는 갑조교가 대학교 밖에 차를 주차한 이유가 궁금해졌다. 혹시 근무 시간에 늦어서 주차장이 부족했나?

계속해서 집으로 향했다.

이번에는 상담교수를 만났다. 만났다기보다는 신호대기 중인 상담교수의 차를 본 것이다. 아마 상담교수도 을교수를 봤을 것이다. 지난번에 을교수가 상담교수에게 갑조교의 퇴근 길과 겹칠 것 같아서 갑조교를 피하기 위해 태워주라고 부탁하여 상담교수가 을교수를 대학교 교내에서 태워주고, 상담교수가 내려줬던 그 위치였다.

어쩌면 갑조교는 2023년 9월 20일 수요일 점심시간에 평소 옆에서 함께 식사하는 상담교수에게 을교수와의 만남을 가스라이팅 할지도 모른다. 상담교수는 어느 성향일까?

2023년 9월 19일 화요일 한국에서는 정치적으로 야당 대표가 20일째 단식 투쟁하고 있다. 같은 단식이지만 사회적으로 보는 시선이 관점에 따라 다르다. 야당 대표의 단식을 정의의 저울과 감정의 저울이라는 표현을 사용했다. 의미는 감정적으로는 이해가 되나 정의적으로는 이해할 수 없다는 내용이다.

을교수는 갑조교에 대한 생각이 들었다. 갑조교의 을교수에 대한 행동도 마찬가지도 정의의 저울과 감정의 저울을 사용해야한다. 상식적 통념적 정의의 저울은 누구를 지지할까? 상식적 통념적 감정의 저울은 누구를 지지할까?

갑조교의 행동은 야당 대표를 바라보는 정의의 저울과 감정의 저울과는 다르다. 야당 대표를 바라보는 정의의 저울과 감정의 저울은 서로 반대를 향하고 있다. 갑조교와 을교수 사이의 정의의 저울과 감정의 저울은 같은 방향을 향하고 있다.

갑조교는 자신이 수준 높은 도덕성을 소유한 인격체처럼 행동했다. 자체 모순이다. 수준 높은 도덕성을 소유한 인격체는 그렇게 행동하지 않는다. 스침을 터치로 매도하여 사람을 악질적으로 고약하게 하지 않는다. 악질적이라고 표현하는 것이 과하다고 생각할 수 있다. 그러나 갑조교처럼 하는 악의적인 매도는 한 남자를 사회적으로 매장하며, 죽음으로까지 이끌 수 있는 행동이다.

어제 일지를 쓰는 것도 지친다고 했다.
그런데 뭔가 또 생긴다.
그냥 별 일 없이 빨리 남은 2023년이 지나가면 좋겠다.

갑조교가 이상하게 행동하지 않았다면, 을교수가 운동화 끈을 묶는 시간에 서로 인사했으면 좋았다. 횡단보도 앞에서 신호대기할 때 다시 인사해도 좋았다. 그러나, 갑조교의 이상한 행동은 그런 사소한 인생살이까지 옥죄였다.

수준 높은 도덕심을 요구하는 갑조교는 자기 자신에게는 대단히 관대하다.

2023년 여름의 근무 태도가 그렇다. 대학원 수업과 물리적 시간이 일치하지 않는다. 개인적 친분을 이용하여 근무를 원칙을 벗어나서 탄력적으로 한다. 탄력적이라는 표현보다는 근무지를 이탈한 것이다.

역시 2023년 겨울의 근무 태도도 마찬가지이다. 을교수는 업무처리를 위해 스스로 출근했다. 스스로 출근했기에 근무 시간이 자유로웠다. 평소라면 이미 정식 근무 시간을 넘겨서 출근한 것이다. 갑조교는 아직 출근하지 않았다. 갑조교는 교수진이 아니기 때문에 근무를 명확히 해야한다.

남에게는 수준 높은 도덕성을 요구하며, (그것마저도 사회적 상식과 통념에서 벗어났다.) 자기 자신에게는 무지 관대하다. 윤리적으로도 법적으로도 옳지 않다.

수준 높은 도덕성이라고 표현했지만 이것은 갑조교의 위법적인 무리한 요구일 수 있다. 그냥 여성이라는 위치를 이용해서 절대 갑질을 한 것이다.

2023년 9월 21일 목요일

　을교수의 퇴근하는 길이다. 을교수는 주차장에 들어서서 깜짝 놀랐다. 을교수 차옆에 갑조교가 떡하니 주차를 해놓은 것이다. 을교수가 갑조교의 차까지 알고 있나? 뭐 갑조교를 스토킹 하려고 하나? 아니다. 을교수는 갑조교를 매우 조심하고 있다.

　이렇게 행동하고 갑조교를 피하지 않는다고 클레임을 걸기 때문이다.

　을교수는 동료 직원들의 주차를 수월하게 하기 위해 기둥 옆에 최대한 붙인다. 갑조교는 주차하기가 생각보다 편했을 것이다.

　갑조교가 을교수를 옥죄였고, 서로 인사도 하기 싫다고 했으면, 을교수의 차 옆에 주차하는 것은 피했어야 한다.

　그리고 갑조교는 대학교 밖에도 주차를 하곤 한다.

2023년 9월 22일 금요일

　을교수는 특기적성국 업무로 대학본부 사무실을 방문해서 부총장과 업무상 대화를 해야한다. 1교시에 시간을 내어서 대학본부 사무실을 방문해야하는데 갑조교가 있을까봐 걱정이 된다. 그래도 업무의 시급성과 중요성으로 용기내어 대학본부 사무실을 방문했다.

　대학본부 사무실 문이 열려있었는데, 부총장과 재무처장이 이야기 중이었다. 다행히 갑조교는 없었다. 대학본부 사무실 조교도 부재중이었다. 을교수는 대학본부 사무실에 얼른 들어갔다. 갑조교보다 대학본부 사무실을 먼저 선점하기 위해서이다. 이제 갑조교가 을교수를 피하면 된다. 그리고 부총장과 때마침 있었던 재무처장과 특기적성국 업무에 대하여 이야기를 나눴다.

　특기적성국 업무에 관해서 이야기 하는 중에 갑조교가 예상대로 대학본부 사무실에 들어왔다. 갑조교는 대학본부 사무실에 아무런 거리낌 없이 들어온다. 을교수가 업무에 관련해서 아침 시간에 갑조교를 피하기 위해 힘들게 방문하는지 모르는 것 같다. 그리고 을교수가 있었으면 대학본부 사무실에 들어오지 않았어야 한다. 을교수는 갑조교를 보는 순간 업무에 마비가 온다.

　<u>우선은 갑조교의 젖은 머리다.</u>

　6월의 상황이 떠오른다. 대학본부 사무실에서 업무상 방문했던 을교수가 갑조교를 피하지 않았다고 클레임을 건 것이다. 이번은 다르다. 을교수는 업무와 관련해서 이야기 중이다. 갑조교처럼 시시콜콜하게 대학본부 사무실에서 웃고 떠든 것이 아니다.

그런데, 갑조교가 들어와서 대학본부 사무실 정수기쪽으로 갔다. 차를 탄다는 핑계를 댈 수는 있다. 갑조교가 대학본부 사무실의 차를 마시는 것에 대한 불만은 없다. 을교수는 그런 것으로 시시콜콜하게 시비거는 사람이 아니다.

대학본부 사무실에도 정수기가 있지만, 장학국 사무실에도 정수기는 있다. 또한 대학본부 사무실에 있는 정수기는 예전에 갑조교가 오기 전에 장학국 사무실에 있던 동일의 얼음이 나오는 정수기이다. 그런데, 얼음이 나오는 정수기를 교직원 휴게실에 있던 새것과 장학국 사무실에 있던 정수기와 바꿨다.

어떤 이유가 되었던 갑조교는 을교수를 피했어야 한다. 갑조교는 떠들고 놀면서 을교수가 업무차 대학본부 사무실을 방문하여 부총장과 대화한 것을 클레임 걸었다. 갑조교는 그런 수준 높은 도덕성을 가지고 있기 때문이다.

을교수가 **갑조교의 젖은 머리**를 보고 있는 것은 생각하지도 못할 것이다. 자주보이는 갑조교의 젖은 머리는 갑조교의 또 다른 모습을 보여준다.

갑조교 자신을 둘러보라는 것이다. 을교수에게 들이밀었던 수준 높은 도덕성의 자를 갑조교 자신에게 대어보라는 것이다.

이번 갑조교의 대학본부 사무실 방문을 을교수도 클레임에 걸어
볼까 생각중이다.

2023년 9월 26일 화요일

　을교수의 퇴근길이다. 을교수는 4학년 졸업생도를 지도하는 김교수와 유교수와 함께 퇴근했다. 그냥 별생각없이 엘리베이터를 잡았다. 그런데, 장학국 사무실에서 갑조교가 나왔다. 어색한 분위기가 되었다.

　잠시지만 서로의 인사가 없는 냉랭한 시간이었다. 4학년 졸업생도를 지도하는 김교수와 유교수로 냉랭했다.

　1층에서 의무교수를 만났다. 그리고 다시 갑조교를 만났다. 갑조교는 얼른 주차장으로 향했다. 을교수는 4학년 졸업 생도를 지도하는 김교수와 유교수와 함께 주차장으로 이동하였다. 이동구간은 짧지만, 갑조교와 같은 방향이 되었다.

　지난번에는 이것이 싫어서 상담교수에게 부탁하여 차를 얻어 탄 적이 있다.

　갑조교는 실내화를 그대로 신고 퇴근하였다. 맨 땅을 밟지 않으니 큰 의미에서는 별로 상관이 없다. 그러나, 수준 높은 도덕성을 표방하여 을교수를 모함한 갑조교는 스스로 신발을 갈아 신고 퇴근했어야 한다.

　이날 외부인 남자가 장학국 사무실에 방문했다고 한다. 갑조교가 놀랐다고 한다. 장학국장이 9월 27일 수요일 전체 메신저로 안내

사항을 보내서 알게 되었다.

갑조교는 놀랐다고 하나, 을교수와 비슷한 또다른 피해가가 생길
수도 있다는 생각이 들었다.

2023년 9월 27일 수요일

　교직원 휴게실 씽크대의 수채 구멍에 누군가가 또 차(茶) 찌꺼기를 버렸다. 이번에는 연근 차이다.

　역시 누구인지 합리적인 의심이 간다. 다른 사람을 배려하는 마음이 있으면 좋겠다.

2023년 10월 4일 수요일

　아침에 출근하고 모닝 커피를 마시기 위해 교직원 휴게실로 졸어반 생도을 담당하고 있는 김교수와 가는 길이다. 을교수와 김교수의 앞에서 갑조교가 먼저 교직원 휴게실로 갔다.
　이 모습을 본 을교수는 갑조교의 요구 사항대로 같은 공간에 머무르지 않기위해서 나중에 커피를 마시겠다고 김교수에게 말하고 교직원 휴게실 입구에서 돌아섰다.

　김교수가 무엇인가를 알겠다는 느낌으로 그러자고 했다.

　이제 소문이 어느정도 퍼지고 있다는 생각이 든다. 을교수는 여기에 대한 대응이 필요하다고 느끼며 기획국장 이하늬 교수의 강하게 나가라는 말을 떠올렸다.

2023년 10월 6일 금요일

    을교수는 점심시간에 생도들과 함께 점심식사를 하러 가는 길이다. 평소와는 다르게 교직원 휴게실에서 차를 마시는 사람들이 보였다. 갑조교, 부총장, 대학본부 사무실 조교, 의무교수 외 1인이 더 있었다.

    개인의 취향에 따라서 차를 마실수도 있으나, 갑조교가 가스라이팅을 하고 있구나 하고 생각하면 씁쓸하다.

    을교수는 엘리베이터 앞에서도 갑조교를 마주쳤다.

    갑조교는 서로를 힘들게 하고, 스스로를 힘들게 하는 중이다. 조금만 생각해보면 갑조교의 행동이 얼마나 경솔하고, 현명하지 못했는지 알 것이다.

2023년 10월 10일 화요일

　을교수는 연휴가 끝나고 생도들과 점심 식사를 하러 가는 길이다. 오늘은 평소와 다르게 돌아서 갔다. 식사를 하러 가는 길에 갑조교를 만났다. 갑조교는 대학본부 사무실로 차를 마시러 가는 길이다. 갑조교의 손에는 내부가 보이는 유리로 된 커피포트 또는 티포트를 들고 있었다.

　그리고 그 커피포트에는 차가 우려져 있었다. 교직원 휴게실에 가끔 보이는 차찌꺼기를 남기는 그런 느낌의 색을 가지 차(茶)였다.

　갑조교는 점심 시간에는 식사를 하면서 주변을 가스라이팅하고, 점심이 끝나면 대학본부 사무실에서 주변을 가스라이팅한다.

2023년 10월 12일 목요일

　을교수는 의무실에 들렸다. 손목 통증과 무릎 통증이 있어서 잠깐 치료를 받으러 갔다. 2학기가 들어서는 작년이나, 1학기처럼 의무실을 방문하는 생도가 적었다. 그래서 별로 의무교수와 이야기를 할 상황이 아니었다.

　이야기라고 하니 대단한 것은 아니고 지나는 길에 의무실에 자주 방문하는 학생들에 대한 간단한 상담 및 인사 정도이다. 총 3분도 걸리지 않는 간단한 스침이다.

　을교수와 의무교수의 대화는 손목이나 무릎이 아픈 것은 나이 탓이라고 그냥 웃으면서 농담 수준 정도 하는 일상 적인 대화이다.

　나이 이야기가 나와서 을교수는 의무교수와 피천득의 '인연(因緣)'에 이야기를 했다. 10대의 아름다움, 20대의 아름다움, 40대의 아름다움 정도의 이야기이다.

2023년 10월 13일 금요일

　을교수는 퇴근하는 길에 갑조교에 대한 여러 가지 생각이 들었다.

　- 갑조교는 왜 그랬을까?
　- 역으로 을교수를 이상하게 바라본다고 고충위원회에 신고해야 하나?
　- 우월한 사회적 위치로 직장내 괴롭힘 및 갑질을 하나?
　　대학본부 사무실, 시청각실 사건은 더 가관이다.
　- 혹시 사회 봉사 단체나 여성 단체에서 근무했나?
　　박원순 시장을 살펴 보면 다음과 같은 내용이 나온다. 사회 봉사단체나 여성 단체에 근무하는 일부 여자들은 왜곡된 남녀관과 생각을 가지고 남자를 아주 나쁜 사람으로 매도하여 이익을 창출하는 것이나 남자를 난처하고 곤란하게 하여 어려운 상황으로 만드는 것에 특화되어 있다고 하기도 한다. 갑조교가 생각난다.
　- 종교 단체에 몸담고 있나?
　　종교 단체에 있어도 위와 비슷한 경우가 있다.

　갑조교는 악랄하거나, 단순하거나, 경솔하거나, 생각을 짧게 한 것 같다.

사실 갑조교는 악랄하다. 단순하거나, 경솔하거나, 생각을 짧게 한 것이 아니다. 주변에서 갑조교가 을교수를 난처하게 하는 정도의 일이나 수준으로 사람을 괴롭히는 것을 보면, 사람들은 갑조교를 악랄하다고 하지, 갑조교를 이해한다고 하지 않는다.

심지어는 을교수는 똥 밟았다고 한다. 똥 밟았다는 표현도 맞이 않다. 똥 밟았다는 표현은 을교수와 갑조교 사이에 뭔가가 있는 것이다. 을교수는 뭔가도 있지 않았다. 갑조교의 일방적인 악의적인 주장으로 곤란함을 겪고 있는 것이다.

2023년 10월 20일 금요일

한국세계윤리사관대학교 체육대회가 있는 날이다. 비가 왔다. 비가 오기전의 원래 계획은 생도들의 달리기 결승점에서 행사에 참여해야 했다.

하필 갑조교와 동선이 겹치는 부분이 발생한다. 다행히 체육대회가 있는 일주일 동안 인턴 교수들이 오기에 약간을 갑조교의 동선과 겹치지 않게 할 수 있었다.

갑조교의 터무지 없는 주장 및 갑질로 이런 것 까지 신경을 써야하는지 을교수는 갑갑해 했다.

오늘은 비가 왔다. 체육대회 장소가 강당으로 변경되었다. 운동장 달리기가 취소되어 을교수는 매우 기뻤다.

아뿔사! 우천시 체육대회 프로그램을 살펴보기 갑조교가 생도들의 경기중에 하나를 담당하였다. 을교수는 갑조교를 피해가기 힘들다고 생각했다.

드디서 체육대회가 시작되고, 여러 구역중에 갑조교가 담당하고 있는 구역을 가게 되었다. 그런데 을교수에게 행운이 다가왔다. 갑자기 동선이 꼬여서 다른 생도을이 을교수가 인솔하는 생도들의 구

역인 갑조교가 담당하고 있는 구역에서 활동하고 있었다. 을교수는
다행히 혼동을 핑계삼아 갑조교의 구역을 피할 수 있었다.

체육대회 종목 중에 단체 줄넘기가 있었다. 을교수는 생도들의
줄넘기를 위해 열심히 줄을 돌렸다. 단체 줄넘기의 줄을 돌려본 사
람이라는 생각보다 줄 돌리기가 힘든 일이라는 것을 알 것이다.
계속되는 줄 돌리기를 하는데 총장이 순회를 하였다. 을교수는
평소대로 돌렸지만 솔선수범하고 열심히 희생하는 모습이다.

강당에서 체육대회 종목이 진행되었다. 강당이 좁다. 다른 종목은
할 만하다. 줄다리기가 문제다. 짧은 공간에서 이루워져서 갑자기
줄다리기의 승부가 발생하면 생도들에게 사고가 발생할 수도 있다.
을교수는 생도들의 사고를 방지하기 위해 줄다리기의 맨 끝에서 생
도들의 사고를 대비했다.
을교수는 이렇게 사려깊은 사람이다.

점심 시간이다. 오늘은 체육대회 관계로 식사시간이 변동이 있었
다. 을교수는 갑조교가 식사하는 모습을 볼 수 있었다. 여전히 갑조
교는 식사를 하면서 주변을 가스라이팅하고 있었다. 갑조교는 아니
라고 할 수 있다. 그러나, 결과는 가스라이팅이다.

오후 3시가 되었다. 코로나19로 하지 못했던 한국윤리사관대학교의 체육대회를 위해 수고해준 교직원들을 위해 다과와 함께 총장과 함께 하는 자리가 마련되었다.

을교수는 그 장소에 또 가야한다. 그곳에는 갑조교가 있을 것이다. 이번 자리는 교무국장 김태희 교수가 주관하는 자리다. 지난번에 교무국장 김태희 교수와 기획국장 이하늬 교수를 난처하게 하지 않겠다고 한 것이 생각났다.

얼른 자리만 참가하고, 얼굴 도장 찍고 다과는 캔슬하기로 생각했다. 다과는 피자, 치킨, 콜라, 사이다, 귤이었다. 을교수가 좋아하는 것들이었다.

그러나, 음식이 맛있다고 그 자리에서 먹고있다가 갑조교가 피하지 않고 있었다고 클레임을 제기하면 더 큰 어려움이 생기게 된다. (요즘 을교수는 제발 클레임을 걸어주면 하는 생각도 한다. 을교수도 편하게 생활하고 싶기도 하기 때문이다. 법적으로는 을교수가 유리하다고 생각한다.)

갑조교는 업무로 대학본무 사무실을 방문하고 생도들의 요청으로 시청각실을 방문했을때도 자신을 피하지 않는다고 클레임을 걸었다.

바른 이야기, 옳은 이야기인지는 모르겠지만 가끔 회자되는 이야기를 적어본다. 구호단체, 사회복지단체, 여성단체, 종교단체 등에 관련이 있는 사람들 중에 실적을 위해 없는 잘못도 만드는 사람들이 있다는 것을 들었다. 그리고 그 사람들은 아니면 말고 식의 생각을 가지고 있거나 때로는 집요하다. 그 결과는 생각하지 않는 듯하다.

또는 약간은 왜곡된 생각을 가지고 있다. 그들의 그러한 왜곡된 생각으로 국민의힘 허은아 의원이 주장하는 것처럼 '여가부 폐지'라는 의견이 힘을 얻기도 한다.

또 드는 생각인데, 갑조교는 사건을 키워서 을교수의 처벌을 원치 않는다고 했다. 갑조교가 진정으로 그랬을까? 갑조교에게 누군가의 조언이 있었거나, 사회단체의 경험, 관련 등 이와 비슷한 것이 있었다면 재판으로 가면 불리하다는 것을 갑조교는 이미 알고 있었을지도 모른다. 그래서 관용을 배푸는 것처럼 하고 사건을 일부러 키우지 않았을 것이라는 생각을 을교수는 하게 되었다.
의미 있는 추리이다.

사건을 더 키우면, 결과는 재판이다. 재판이면 을교수에게 유리하다는 것을 갑조교는 알고 있을 수 있다. 갑조교에게 명예훼손죄와 무고죄가 확실해 진다. 그리고 법은 갑조교와 같은 악질적인 사람에게 관용을 베풀지 않는다. 이것을 피하기 위해 갑조교가 관용을 배푸는 것처럼 포장하며 머리를 쓴 것 일수도 있다.

갑조교가 순수하게 처벌을 원치 않는다고 단순하게 남의 일처럼 생각하면 쉽게 생각한 것일 수도 있다. 갑조교가 을교수를 엮은 것, 특히 악의적으로 엮고 편집한 것을 보면 갑조교는 고차원적이라는 것을 알 수 있다.

다과의 장소에 갑조교도 왔다. 갑조교의 그 모습을 보니 을교수는 '나를 죽일려고 한 사람!' 이라는 생각을 했다. 그리고 더 이상 그곳에 함께 하기 힘들어 급한 전화를 핑계삼아 다과회 자리를 떴다.(누군가가 자신을 죽이려 하는 데 그 사람과 함께 자리를 한다는 것은 웬만한 정신력으로는 불가능하다.)

을교수가 너무 과하게 생각한다고, 오버한다고 생각 할 수 있다. 그러나, 주위에서 을교수처럼 갑조교 같은 사람들 때문에 어려움을 겪는 다는 이야기를 들으면 남의 이야기가 아니라는 것을 알 수 있다. 을교수의 반응은 당연하다.

갑조교는 무서운 사람이다. 아닌 듯 하며 주변을 가스라이팅 하고 있어서 더 무섭다.

2023년 10월 27일 금요일

　인턴 강사 지도에 관해 인턴 강사 관리 교수가 급하게 을교수에게 방문했다. 인턴 강사 6월 지도에 관한 부분이다. 갑조교의 뜻하지 않은 주장 및 만행으로 정신적 충격을 이기지 못하고 을교수가 조퇴를 한 것이 있었다.

　조퇴의 횟수와 함께 연수의 횟수가 합산되니 인사에 반영되는 조건에 미달한다는 것이다. 그래서 별수 없이 6월은 인사에서 빼야한다고 했다. 이 부분이 안내가 되지 않아서 을교수에게 인사상의 불이익이 있다고 한다. 인턴 강사 관리 교수가 안내를 잘 하지 못해서 착오가 발생했다고 미안해 했다.

　을교수는 미안해하지 말고 걱정하지 말라고 했다.

　갑조교의 만행이 을교수에게 나비 효과가 되고 있다. 을교수는 갑조교의 만행이 다시 부메랑이 되어 갑조교에게로 갔으면 좋겠다고 생각했다.
　갑조교는 근무나 대학교 수강이 자기 본위로 하기 때문에 언젠가는 문제가 발생할 것이다.

2023년 11월 2일 목요일

갑조교는 오늘도 젖은 머리를 하고 출근했다. 아침에 젖은 머리의 갑조교를 발견하는 것은 이제는 놀랍지도 않다.

아침 젖은 머리로 사람을 예단하는 것은 오버라고 할 수 있지만, 갑조교의 아침 젖은 머리는 자주 등장하다. 특히, 갑조교는 자신이 수준 높은 도덕성의 소유자인 것처럼 이미지를 만들기에 아침 젖은 머리를 하는 갑조교는 여러 가지를 생각하게 한다.

을교수는 점심 식사를 하러가는 도중에, 점심을 마치고 다른 동료 교수들과 올라오는 갑조교를 마주치게 되었다. 갑조교의 요구대로 인사없이 지나쳤는데, 옆에 있는 평소 을교수와 친하게 지내는 다른 교수들과도 그냥 지나치게 되었다.

을교수는 목요일에는 운동장을 살펴본다. 생도들이 잘 지내고 있나 확인하기 위해서다. 그리고 필로티와 중앙 정원을 지나쳐서 작은 현관을 통하여 건물로 들어온다. 필로티와 중앙 정원에서 활동하고 있는 생도들을 관찰하다.

운동장의 조회대에서 생도들을 살펴보고 있는 사이에 대학본부 사무실 조교가 창문을 열고 급히 불렀다. 곧 급한 회의가 있으니 참석해달라는 것이다. 평소대로 목요일 행동하니, 대학본부 사무실 조교가 을교수를 쉽게 발견한 듯 싶다.

2023년 11월 3일 금요일

오늘도 젖은 머리를 하고 출근하는 갑조교의 모습이 을교수의 눈에 띄었다.

을교수는 그런 젖은 머리의 갑조교의 모습을 보고 다양하게 생각하게 되었다.

갑조교가 왜 그랬을까?
어디 단체에서 활동하나?
종교가 있나?
다른 사람들과의 인간 관계는?

자주보이는 갑조교의 젖은 머리 출근은 갑조교가 자신이 바쁜 사람이라고 할지 모르겠으나, 갑조교가 자기 관리도 제대로 하지 못하는 것을 나타내기도 한다. 갑조교는 수준 높은 도덕성을 요구하기 때문에 자주 보이는 젖은 머리는 이중적인 모습이다.

2023년 11월 10일 금요일

　세계윤리사관대학교 교수진의 인사 서류 제출기간이다. 부총장으로부터 인사에 관심있으면 미리 연락을 주라고 쪽지가 왔다. 그리고 다음주 11월 13일 월요일부터 11월 15일까지 관계 서류를 준비하고 인사 서류를 작성하면된다.

　을교수는 부총장에게 인사 서류를 작성하겠다고 쪽지를 보냈다.

2023년 11월 12일 일요일

을교수는 서류작성을 위한 기본 작업을 위해 준비를 마쳤다.

2023년 11월 14일 화요일 13:40

　을교수는 우연히 상담교수가 장학국 사무실을 방문하고 나오는 것을 보게 되었다.
　상담 교수가 장학국 사무실에서 나오는 것을 본 을교수는 지난 주에 있었던 갑조교와 마주친 일이 생각났다. 피한다고 피하지만 완전히 피하기는 어려운 것이 현실이다.

　을교수는 지난 6월에 갑조교가 제시한 클레임이 생각났다. 을교수가 갑조교를 피하지 않는 다는 것이다.

　을교수는 업무 때문에 상담교수를 바로 만나지 못하고 15:30분쯤 상담실을 방문하여 상담교수와 면담했다.
　상담교수는 을교수가 잘 지내고 있다고 말하며, 장학국 사무실 방문이 을교수와의 관계가 아닌, 생도에 관한 것이라고 이야기 해 줬다.

　을교수는 다행이라 생각하며, 의무교수와도 한번쯤은 상담해야겠다고 생각했다.

2023년 11월 15일 수요일

　을교수는 부총장에게 이번 2023년도에는 인사 서류 작성을 포기하겠다고 쪽지를 보냈다. 이유는 을교수가 인사 서류를 제출한다는 소식을 들은 갑조교가 심경의 변화를 일으켜 다시 클레임을 제기할 것 같은 생각이 들어서 였다.

　을교수는 갑조교로 인하여 2023년 거의 1년을 조심했는데, 이번 서류 제출로 인하여 다시 어려운 상황에 빠지지 않기 위함이 크다. 물론 인사 서류를 제출한다고 좋은 결과가 있으리라는 보장은 없지만, 을교수는 서류 제출을 위해 2023년도 열심히 생활했다. 그 열심히 생활한 것 중 하나가 갑조교와 업무적으로 관련이 있었는데 그것이 이상한 방향으로 흐른 것이다.

　그리고 서류 제출을 포기하는 것은 상당히 많은 고민을 할 것이다. 을교수는 2021년, 2022년에도 인사서류를 제출했다. 2023년은 노력의 결과가 추가 되었다. 그럼에도 인사 서류 제출을 포기한 것이다.

　부총장이 인사는 아무도 모르니 한번 더 숙고할 시간을 주었다.

　그러나 을교수는 신경 쓰는 것으로 이미 많은 에너지를 사용하였

기에 여력이 없다는 내용과 함께 죄송하다는 쪽지를 보냈다. 그리
고 인사 서류 제출을 포기했다.

2023년 11월 20일 월요일

　　을교수는 처음으로 의무교수를 찾아갔다. 의무교수는 외국 연수를 마치고 이번에 복귀했다.
　　의무교수는 위원회의 일원이기에 알아야할 것 같았다.
　　의무교수에게 지난 갑조교와의 일을 이야기 했다. 의무교수는 어떻게 생각할까 궁금하다.

　　을교수가 아는 의무교수는 상식적인 보통의 사람이다. 스침과 터치는 구분할 수 있다. 그리고 스침을 터치로 악의적으로 워딩하는 사람이 어떤 부류의 사람인지 정도는 알고 있을 것이다.

2023년 11월 23일 목요일

갑조교의 젖은 머리 출근
　그리고 하이톤의 가식적인 목소리와 가식적인 웃음

부총장에게 월요일에 온 쪽지가 있다. 11월 24일 오전까지 이동에 관련한 인사서류를 제출하라는 내용이다. 드디어 을교수가 갑조교와의 악연을 끝낼 기회가 온 것이다. 을교수는 갑조교와의 악연으로 여러 가지 손해를 봤다. 다행히 공식적인 인사 손해는 없어보인다.

비공식적인 인사 손해는 많이 있다. 우선 지난번 인사서류 미제출이다. 이에 따른 나비효과도 여러 곳에서 발생할 것 같다. 이번에 이동 인사 서류 제출하는 것도 그렇다. 혹시 이동하지 못하면, 2024년 강의 선택에도 파급력이 있다.

을교수는 건강에도 많은 이상이 생겼다. 스트레스로 인한 것이다. 을교수는 스트레스를 극복하기위해 많은 노력을 하고 있다. 그래도 만만치 않는 노력이 들어간다. 창의적인 것에 사용하지 못하고 소모적인 것에 사용하는 깃이 손해이다.

이런 와중에 오늘도 역시 갑조교는 젖은 머리로 출근했다. 을교수가 갑조교의 약점을 찾으려는 것이 아니라 그냥 을교수의 눈에 갑조교가 젖은 머리로 출근하는 것이 띄는 것이다.

누구나 젖은 머리로 출근할 수 있다. 그것이 흠이 되지는 않는다. 그러나 갑조교에게는 흠이다. 갑조교는 자신이 수준 높은 도덕성의 소유자인 것처럼 행동하기 때문이다. 그 정도의 자기관리도 하지 못하는 사람이 다른 사람에게 그렇게 악랄한 척도로 악의적으로 워딩하여 엮는 것은 어불성설이다.

오늘은 대학본부 사무실 밖으로 갑조교의 가식적인 목소리와 가식적인 웃음소리가 들렸다. 언뜻보면 유쾌할 수 있다. 그러나, 갑조교에대해 조금만 분석하면 가식적인 것이라는 것을 알 수 있다.
누구나 가식적일 수는 있다. 그러나 가식적인 면으로 피해를 주는 것이 갑조교와 같이 악날하다면 곤란하다.

2023년 11월 27일 월요일 13:40

　을교수가 우연히 의무실 앞을 지나가게 되었다. 그런데 갑조교가 의무교수와 이야기하는 모습을 보게 되었다.

　무슨 일일까?

　을교수는 갑조교가 주변을 가스라이팅하고 있고, 이번은 9월에 해외연수에서 복귀한 의무교수가 대상이지 않을까 하고 생각했다.

　갑조교가 대학본부 사무실에서 충분히 가스라이팅을 하지 못한 사람이 의무교수이다.

2023년 11월 29일 수요일

2024년에 이루어질 특기적성에 관한 서류 준비 작업을 대학본부 사무실 조교와 협업해야한다. 을교수가 대학본부 사무실을 방문하는 시간이 이른 아침 시간이다보니, 혼선과 오해가 발생한다.

거참 갑조교의 태도로 인한 활동의 어려움을 을교수는 여러 영력에서 겪고 있다.

2023년 11월 30일 목요일

　누군가가 교직원 휴게실 씽크대 수채구멍에 샤인 머스켓 포도를 버렸다. 누구일까?

　교직원 휴게실 활동 반경을 생각하면 역시 대상이 좁혀진다. 다른 교직원이 사용하는 사무실은 씽크대가 있다. 씽크대가 없는 사무실은 한 곳이다. 거기에서 누가 상주하고 있는지는 명확하다. 그리고 종종 교직원 휴게실의 쓰레기 봉투에 차 찌거기를 버린다. 이번에는 샤인 머스켓 포도를 버렸다.

　2022년까지는 교직원 휴게실에서 그런 일이 없었다. 2023년 교직원의 인사변동이 있고나서부터 그런 일이 가끔 발생한다. 인사변동이 있는 사람이 갑조교이다. 샤인 머스켓 포도도 대학교 업무에서 여유가 있는 갑조교가 가져왔을 확률이 높다.

2023년 12월 1일 금요일

   2024년 특기적성 강사를 모집을 위한 지원서를 받고 있는 중이다. 지원서를 받고 면접을 실시해야 한다. 투명성을 위해 외부 인원이 면접에 참여해야한다.
   2023년 초에 동의 해줬던 외부 위원들이 바쁘다는 이유로 면접 심사를 할 수 없다고 을교수에게 연락이 왔다.

   중요사항이라 을교수는 대학본부 사무실에 있는 부총장과 상의를 하려고 대학본부 사무실에 방문했다. 을교수는 갑조교와 마주치지 않기 위해서 보통 오전 9시 이전에 대학본부 사무실을 방문한다. 을교수에게는 시간이 한정적이라 업무처리에도 차질이 발생한다. 이번에는 바빠서 어쩔수 없이 일과 중에 오후 3시가 넘어서 대학본부 사무실에 방문했다. 을교수는 조심해서 들어가야 했다. 갑조교가 대학본부 사무실에 있었다.

   상당히 중요한 일이지만 6월에도 업무 때문에 대학본부 사무실을 방문했는데 갑조교를 피하지 않았다고 부총장과 상담교수를 통해 을교수에게 클레임을 걸은 갑조교이다. 6월에도 중요한 일이었다.
   이번에도 상당히 중요한 일이다. 면접 심사위원에 관한 일이기 때문이다. 을교수는 별수 없이 대학본부 사무실에서 나왔다. 괜한 소송에 휘말리기 싫기 때문이다.

연구실에 돌아온 을교수는 생각했다. 이것은 아무리 봐도 직장내 갑질이라는 생각이 들었다. 직장내 괴롭힘이라는 생각도 들었다. 여자라는 우월한 사회적 지위를 통해 그냥 사람 하나 엮는 것은 일도 아니라는 생각이 들었다.

보통은 감수성이 사람마다 달라서 인지하는 수준이 다르다고 갑조교는 이야기한다. 그러나 그것은 통상적인 최소한의 상식적 수준에서 그렇다. 갑조교가 을교수를 난처하게 하는 정도로 사람을 난처하게 한다면 스스로를 생각해봐야한다.

'주변에 나이가 많으신 분이 왜 운전면허를 자진해서 스스로 반납할까?'

갑자기 미꾸라지 이야기가 생각났다. '미꾸라지' 하면 떠오르는 이미지가 있다. '미꾸라지 한 마리가 웅덩이를 흐린다.'이다. 그런데 미꾸라지가 좋은 이미지와 의미로 쓰였던 적이 있다. '미꾸라지가 드렁허리를 살린다.'라는 내용으로, 미꾸라지가 본성에 따라서 몸을 움직였는데, 그 행동으로 인해 힘이 빠진 드렁허리에게 다시 기운을 준다는 의미이다.
16세기 초 철학자 심재 왕간(王艮)의 '왕심재전집' 추선설(鰍鱔 說) 편에 나오는 내용이다.
이와 반대되는 이야기가 '독사와 농부'나 '전갈과 개구리'이다.

2023년 12월 4일 월요일

　주말에 을교수는 몹시 아팠다. 면역력이 줄어든 결과이다. 약 1년의 스트레스는 면역력을 약화시킨다. 을교수는 정신적 안정과 육체적 건강을 위해서 운동을 종종했다. 그러나 갑조교의 만행은 을교수의 노력분을 상쇄하고도 남는다.

　을교수는 최근 10여년 중에 최저 몸무게를 갱신했다. 남들은 다이어트를 해서 좋겠다고 하지만 스트레스로 인한 체중 감소는 신체적 문제를 야기한다.

　을교수는 최근 소화 기관 관련 계통으로 이상을 느꼈다.

　을교수는 건강에 중대한 이상이 발견하면 피켓이라도 들고 갑조교의 만행을 세상에 알리려고 한다. 그래서 2023년 1년의 원통함을 해결하려고 마음먹고 있다. 갑조교는 을교수의 건강을 위해 많은 노력을 해야한다. 아니면, 을교수에게 한 갑질과 만행을 갑조교의 직장, 생활 근거지 등 온 천하에 알릴 계획이다.

　스트레스의 영향은 참으로 무섭다.

2023년 12월 7일 목요일

아침에 갑조교를 완벽하게 마주하게 되었다. 그런데 오늘은 다른 날보다 더 기분이 좋지 않았다.
왜일까?

그 이유를 오후에 알게 되었다.

갑조교의 행동은 1차로 살인 의도가 있다. 생물학적 살인 이다.
2차로 명예 살인이다. 사회학적 살인이다. 한명의 인생을 송두리체 망가뜨리는 명예 살인이다. 정말 그런일이 있는것과는 다르다. 갑조교의 최고 수위가 환송회장에서 식탁밑으로 발이 스쳐서 닿은 것이다. 그것을 터치로 엮은 것이다.
3차로 가족 살인이다. 공동체적 살인이다. 가족 살인은 라임을 맞추기 위함일 수도 있다. 어쩌면 맞을 수도 있다. 가족을 해체하는 관점에서는 맞는 말이다.

  갑조교는 변명할 수 있다. 그러나 갑조교의 행실은 위에서 말한 3가지 이상의 살인의도를 내포한다.

2023년 12월 11일 월요일

　오늘은 2024년 특기적성 강사의 면접이 있는 날이다.

을교수는 평소보다 빠르게 식사를 하러 갔다. 을교수는 갑조교, 상

담교수, 부총장, 총장이 함께 식사를 하고 있는 모습을 발견했다.

　갑조교의 가스라이팅이 매일 이루어 지고 있는 샘이다. 갑조교는

자신을 잘 보장하는 것에 능하다. 그 이면은 그렇지 않다. 을교수를

엮은 것을 봐도 알 수 있다. 스침을 이 정도로 엮는다는 것을 사회

적 통념상, 상식상 보통 사람은 생각할 수도 없다.

　을교수는 면접이 있는 바쁜 일정상 점심 식사를 하는 둥 마는 둥

하고 대학본부 사무실에 방문했다.

　총장에게 오늘 있을 특기적성 강사 면접에 관해서 이야기 하려고

했다. 마침 총장은 부총장하고 이야기 중이었다. 을교수는 총장과

부총장에게 함께 이야기 하면 좋겠다고 생각했다. 그래서 을교수는

오늘 있을 면접 시정에 대해서 말하려고 하는데 대학본부 사무실에

있는 갑조교가 을교수의 눈에 띄었다.

　을교수는 갑조교를 발견하자 마자 총장과 부총장에게 할 이야기

가 있음에도 불구하고 그냥 대학본부 사무실에서 나왔다.

갑조교의 만행은 대학교 전체 업무진행에도 차질이 있다.

2023년 12월 13일 수요일

    회의가 끝나고 기획 국장 이하늬 교수가 12월 20일 수요일 한국 윤리사관대학교 전체 교직원 회식에 참석하냐고 물었다. 장소는 을교수가 좋아하는 고급 뷔페였다. 을교수는 참석하지 않는다고 했다.

    이유는 갑조교가 을교수 때문에 참석하기를 불편해할 까봐 그렇다고 했다.

    그러면 혹시라도 갑조교가 참석하지 않으면 참석할거냐고 물었다. 을교수는 을교수가 회식에 참석하기 때문에 갑조교가 참석하지 않았다는 클레임 자체가 싫어서 갑조교의 참가 여부와는 상관없이 참석하지 않는다고 했다.

    이하늬 교수는 안타까워 하며, 아직까지 계속되고 있냐고 그랬다. 을교수는 두 번째 클레임을 예를 들면서 갑조교와 같이 사회단체, 복지단체, 봉사단체, 여성단체, 종교단체 등과 관련있는 사람과 엮이면 복잡해진다고 했다.

    을교수는 을교수를 생물학적으로 사회적으로 공동체적으로 사망에 이르게 하려고 했던 갑조교와는 함께 밥먹는 자체가 그렇다.

2023년 12월 14일 목요일

　교직원 중에　누군가가 교직원 휴게실에 있는 씽크대의 수채구멍에 차 찌꺼기를 버렸다. 녹차 같이 깔끔한 차 찌꺼기는 아니다.
교직원 휴게실을 사용하는 교직원의 성향과 생활 패턴을 생각하고 분석하면, 인물은 갑조교로 좁혀지는 합리적 의심이 든다.

　갑조교의 대척점에 있는 을교수는 커피 머신을 청소했다. 을교수는 종종 솔선 수범을 보인다.

　개인적으로 깔끔한 척하며 고귀한척 하며 수준 높은척하지만 인간의 내면을 알 수 있는 바로미터가 된다.

　김태희 교수와 이하늬 교수가 을교수에게 연락을 했다. 을교수가 인사서류를 제출하지 않은 것을 오늘에서야 알고 급하게 연락한 것이다. 기태희 교수와 이하늬 교수는 을교수가 이번에 인사서류 제출을 왜 하지 않은지 궁금해했다.
　을교수는 갑조교의 만행 때문에 그랬다고 했다. 김태희 교수와 이하늬 교수는 그래도 그것까지 포기하는 것은 너무 손해가 아니냐고 그랬다. 그러면서 너무 아까워 했다. 을교수는 올 해도 인사 점수를 작년보다 더 누적했다. 점수가 올 해보다 낮은 작년과 재작년에도 인사서류를 제출했다. 그러나 올해는 하지 않았다.

김태희 교수와 이하늬 교수는 을교수가 너무 많은 걱정을 한다고 했다. 을교수는 갑조교는 일반적인 상식과 사회적 통념으로 생각하면 곤란하다고 했다. 갑조교가 그런 정상적인 보통의 사람이었다면 을교수가 갑조교로부터 이런 어렵고 난처한 상황에 빠지지 않았을 것이다.

2023년 1년을 갑조교로부터 조심했는데, 지금와서 갑조교에게 꼬투리를 잡힐 수는 없다.

을교수는 상식적으로 보통의 사회적 통념상의 수준에서 생활하지 않는 갑조교를 피하기 위해서 옷의 색깔도 신경쓴다고 했다. 을교수는 갑조교의 첫 번째 클레임 이후로는 밝은 색의 옷을 입지 않았다.

김태희 교수와 이하늬 교수는 을교수가 그렇게까지 생활하는 줄은 몰랐다고 했다.

을교수는 최근 10년간 최저 몸무게라고 했다. 주변에서는 다이어트가 성공했다고 축하하는데, 마음 한편으로는 씁쓸한 구석이 있다.

을교수는 김태희 교수와 이하늬 교소에게 갑조교의 두 번째 클레임 이후로는 대학본부 사무실을 오전 9시 이전에 방문한다고 했다. 갑조교가 갑조교 본인을 피하지 않는다고 두 번째 클레임을 했기 때문이다. 갑조교는 회의라는 명목으로 대학본부 사무실에 오랜 시간 상주한다. 사실 좋게 말해서 회의라고 표현했지 실상은 이 글을 읽는 독자가 생각하는 그런 티타임으로 보면 된다. 그래서 안심하고 갑조교를 피할수 있는 빈 시간은 갑조교가 상주하기 전인 9시 이전 그때 뿐이다.

을교수는 업무를 하는데도 많은 지장이 생겼다.

그러나, 을교수는 사회 단체, 봉사 단체, 여성 단체, 종교 단체 등과 연관되었을 갑조교에게 괜한 트집을 잡히지 않으려고 한다고 했다. 갑조교는 업무 특성상 사회 단체, 봉사 단체, 여성 단체, 종교 단체 등과 연관되었을 수 밖에 없다. 그리고 그 단체는 자신들의 실적을 위해 그 쪽을 엮는 것을 아주 잘하는 경향이 있다. '건수만 잡혀바라!' 이런 느낌이다.

갑조교가 을교수를 엮은 최고의 수위가 환송회 장소에서 스침을 터치했다고 악의적으로 워딩한 것이다. 을교수는 스쳤는지도 알지 못한다. 갑조교의 일방적 주장이다.
사회적 통념상 상식적인 수준에서 이런 것으로 엮냐는 느낌이 들었다.

을교수의 1년

을교수가 20대의 젊은 패기있는 교수라면 약 1/30의 생을 허비하고 피해 본 것이다. 을교수가 30대의 교수라면 약 1/40의 생을 허비하고 피해 본 것이다. 을교수가 40대의 교수라면 약 1/50의 생을 허비하고 피해 본 것이다. 을교수가 50대의 교수라면 약 1/60의 생을 허비하고 피해 본 것이다.

　엄청난 시간이다. 그리고 스트레스의 기간이다. 을교수의 건강이 걱정된다.

2023년 12월 19일 화요일

누군가가 교직원 휴게실 씽크대 수채구멍에 차 찌꺼기를 또 버렸다. 녹차와 같은 깨끗한 차 찌꺼기가 아니다. 을교수는 교직원 씽크대 수채구멍에 이상한 것을 버리면 사진으로 찍어 놓는다. 이제는 갑조교가 제발 아니었으면 하는 생각까지 한다.

을교수는 커피 머신을 청소했다. 1학기 동안 교직원에게 커피를 제공했던 고마운 기계였다.

누군가는 청소를 하고, 누군가는 찌꺼기를 버린다.

2023년 12월 20일 수요일 재무처 사무실에서

 특기적성국 강사의 계약과 관련해서 재무처와 협업이 필요하다. 특기적성국 국장인 을교수는 재무처장과 계약에 관해서 재무처 사무실에서 이야기를 하고 있었다. 특기적성국 국장은 강사의 계약으로 무지 바쁜 시간을 보내고 있었다. 재무처장과 이야기는 꼭 필요하며 중요하다.

 이때 갑자기 갑조교가 재무처 사무실에 들어왔다. 갑조교는 을교수와 눈이 마주쳤다. 보통은 선점하고 있는 사람을 위해 뒤에 온 사람이 자리를 피한다. 갑조교는 자리를 피하지 않았다. 갑조교는 오늘따라 더 의식적으로 크게 목소리를 내며 가식적으로 웃으며 재무처 사무실 남직원과 이야기 했다. 아마 재무처 사무실이 갑조교와 개인적 친분이 있는 재무처장이 있어서 더 그런 것 같다. 갑조교는 특유의 하이톤의 목소리와 하이톤의 몸짓이 있다. 그것을 무기로 주변을 가스라이팅한다. 갑조교 자신은 밝고 선한사람이라고 포장한다.

 갑조교는 착각하고 있는 듯 하다. 자신이 피해자이며, 자신이 옳고, 자신이 배려를 받아야 한다고 생각한 듯 하다. 그러나, 갑조교 자신의 행동이 조금만 상식적인 수준에 있는 사람의 관점에서 본다면 갑조교를 다 이상하게 본다는 것을.

 스침을 터치로 악용하여 워딩하여 사람을 힘들게 하는 것으로 갑조교의 모든 것을 설명할 수 있다. 갑조교의 행동은 악질적이다. 생물학적 살인, 사회적 살인, 공동체적 살인을 하는 것이기 때문이다.

주변에서 갑조교 같은 사람이 있으면 피하는 것이 최상이다. 재무처 남직원에게 조언해주고 싶다.

2023년 12월 20일 수요일

 오늘은 한국윤리사관대학교 전체 회식이 있는 날이다. 을교수는 특기적성국 사무실 조교를 회식이 있는 장소까지 태워주고 그냥 왔다.

 을교수는 주차하고 회식 장소로 가면 된다. 그런데 갑자기 생각났다. 전 총장 환송회 장소에서 발이 스친 것을 터치라고 악의적으로 워딩하고 을교수를 곤란하게 한 갑조교의 모습이다.

 을교수는 찹찹한 마음으로 집에 가는 길에 커피숍에 들렸다. 그리고 찹찹한 마음을 달래기 위해 찐한 에스프레소를 시켰다. 빈속에 찐한 에스프레스는 더 강한 각성 효과를 주었다.

 그리고, 에스프레소의 찐한 향기가 을교수의 여러 생각을 깨우고 있었다. 그리고 여러 가지 만감이 교차했다.

 특히, 오늘 있었던 갑조교의 가식적인 모습이 더 떠올랐다. 오늘 행했던 갑조교의 가식적인 모습이 을교수가 새로운 결단을 하게 만들었다.

 을교수는 평소 아끼는 몽블랑 만년필을 꺼냈다. 몽블랑 만년필의 스크류 방식의 뚜껑(캡)을 돌리면서 열고 무언가를 적기 시작했다.

 그리고 에스프레소를 한잔 더 시켰다. 빈 속이지만 카페인으로 기운이 회복되어지는 것을 느꼈다. 이제까지 을교수를 괴롭혔던 것을 청산할 수 있는 느낌이 들었다.

2023년 12월 21일 목요일, 내일부터 을교수가 해야 할 일이다. 오늘 20일 수요일 전체 교직원 회식을 잡은 기획국장 이하늬 교수가 너무 고마웠다. 오늘 회식이 없었으면 을교수는 이런 생각을 하지 못하고 억울한 마음으로 2023년을 보냈을 것이다.

그리고 재무처 사무실에서 갑조교가 그렇게 행동하지만 않았어도 을교수는 그냥 넘어갔을 것이다.

을교수는 그냥 참고 넘어갈 수도 있었다. 그러나 갑조교의 오늘 행동과 태도를 보니 그러면 안되겠다는 생각을 했다. 갑조교와 같은 부류의 인간들에게 경각심을 일깨워야 또 다른 사회적 피해자가 발생하지 않겠다는 생각을 했다. 갑조교와 같은 부류는 항상 하이에나처럼 피해자를 찾는다. 특히 수가 틀리면 위험하다. 주변에 피해 대상을 만든다. 그리고 자신은 도도한척 한다.

또 하나, 갑조교는 알고 있었다. 자신이 어느 정도 수준까지 을교수를 조여야 하는지... 아마 을교수는 사회적 위치 때문에 강하게 나가지 않을 것이고... 초반의 자기 중심적인 피해자 코스프레는 갑조교에게 유리할 것이라고... 그리고 또한 법석으로는 아무 의미가 없는 행동이라고... 을교수가 강하게 나가면 결국 의미없는 일이라고... 그래서 갑조교는 좋은 사람인척하면서 위원회에서 그냥 넘어가는 척 했다는 것...

그러나, 악의적 워딩을 하는 것 자체로 갑조교는 결코 좋은 사람이 아닌 것을 알 수 있다. 우리 주변에서 보는 보통의 선량한 사람도 아니다.

갑조교가 을교수를 스침을 터치로 악의적으로 워딩하여 신고한 것을 봐도 갑조교가 어떤 사람인지 알 수 있다.

2023년 12월 21일 목요일

    을교수는 공식적으로 2개의 위원회에 민원을 제기했다. 어제 전체 교직원 회식에 참여하지 못하고 커피숍에서 외로운 마음으로, 빈 속에 쓴 에스프레소 2잔을 먹으면서 생각한 것들을 을교수가 아끼는 몽블랑 만년필을 사용해서 적은 것 들이다.

    첫 번째 위원회는 회의실에서 열렸다.
    지난번에 갑조교가 을교수에게 클레임을 걸어서 을교수가 참석했던 회의실에서 열렸다. 을교수는 만감이 교차했다. 여기는 부총장, 상담교수, 의무교수, 그리고 당사자인 을교수가 참석했다.

    을교수가 요구하는 첫 번째 내용은,
    갑조교가 사람을 이상하게 보는 것이다. 그냥 보통의 상식적인 사회 통념적인 일상적인 생활에서 이상한 태도로 사람을 대하는 것이다. 특히, 남자인 을교수를 이상한 시선으로 갑조교가 본다는 것이다. 갑조교가 을교수에게 한 것처럼 감정의 문제이다. 을교수가 그렇다고 하면 갑조교는 그런 것이다. 을교수도 그것을 느끼며 조심히 생활했다. 갑조교도 을교수를 포함한 사람들을 그렇게 그런 관점으로 보면 않된다. 특히 보통의 상식적 수준에서 사회적 통념에서 그렇다.

이것은 감정의 문제이므로 을교수가 그렇다고 하면 그런 것이다.

갑조교가 사람을 이상하게 보는 것은 장학국장이 교직원 전체에게 보낸 쪽지에도 명확하게 나와있다.

당사자인 을교수에게 보낸 쪽지에도 나타나 있다. 안타깝지만 인정하기 힘들다면 치료라도 받아야 한다. 엉뚱한 사람들에게 피해가 가지 않기 위해서 그렇다.

그리고 지난번에 위원회에 갑조교가 을교수를 향해 클레임을 건 것이 명확한 증거가 된다. 사회적 통념 상으로 상식적인 수준에서 스침을 터치로 악의적으로 워딩하여 사람을 엮은 갑조교 같은 사람을 좋게 보는 경우는 거의 없다.

을교수가 요구하는 두 번째는 내용은,

갑조교가 남성에게 향하는 악의적 워딩이다. 스침과 터치는 완전히 다른 의미다. 그런데 갑조교는 터치라는 악의적 워딩의 용어를 사용했다.

갑조교가 자신이 기분이 나쁘다고 을교수에게 클레임을 했으니, 을교수가 기분이 나쁘다는 것에 이의를 제기하면 않된다.

을교수는 그때 회의실에서 느꼈던 느낌이 다시 떠올랐다.

갑조교는 을교수가 그때 회의실에서 겪었던 느낌을 느낄 것이다.

을교수가 했던것처럼 그러지 않았다고 항변했지만, 그것은 그냥 메아리였다. 갑조교도 마찬가지이다. 갑조교가 주장하는 것처럼 피해 당사자가 주장하는 것이 기본이 되며 그 외에 갑조교가 주장하는 것을 을교수에 대한 2차 가해가 되는 것이다.

두 번째 위원회도 회의실에서 열렸다. 직장내 괴롭힘 갑질위원회이다. 여기는 부총장 이외의 교직원이 위원회의 구성이다. 내용의 핵심은 다음과 같다.

갑조교는 여자라는 우월한 위치로 약한 남직원을 협박하며 조였다. 만약에 서약서를 쓰지 않으면 크게 확대하겠다고 하는 것이다. 을교수는 이런 류의 일이 해결하기에 상당히 어려움이 있어서 서약서를 써주고 무마하려 했다.

그런데, 갑조교는 일상 생활을 포함해서 공식적인 업무에 대해서도 클레임을 걸었다.

위원회에 참석했던 부총장, 상담교수, 의무교수는 어떻게 생각했을까 궁금하다. 사회적 통념에서 상식적인 수준에서 을교수는 많이 양보했다. 그러나 갑조교는 사회적 통념을 벗어나고 상식적인 수준에서 벗어나는 것을 요구했다. 을교수를 향한 두 번째 클레임이다. 이때야 비로소 을교수는 뭔가 갑조교가 이중적인 모습을 가지고 있다고 직감했다.

을교수는 갑조교의 갑질로 인한 만행으로 인해서 업무의 어려움,

대회 관계의 어려움을 겪고 있다. 물론 정신적으로도 많이 피해해져 있으며 건강에도 이상이 생겼다. 을교수가 최근 10년간에 최저 몸무게를 찍은 것에도 한 몫 했다.

갑조교의 직장내 괴롭힘 및 갑질에 대한 증거가 갑조교가 첫 번째 위원회에 했던 사회적 통념상 보통의 상식적인 수준에서도 이상한 것을 악의적으로 워딩하여 클레임을 한 것이고, 두 번째 다시 클레임을 건 것이다.

을교수의 요구 사항은 다음과 같다.

- 우선 사과한다.
- 서약서를 쓴다.
 이전 갑조교에게 써준 을교수의 서약서의 내용은 갑조교는 모든 활동에서 을교수와 멀리하고 싶다고 했다. 심지어는 인사도 피하고 같은 장소에 함께 하고 싶지 않다고 했다. 직장내 회식도 참석한다. 평소와 같다. 갑조교가 요구했던 것과는 대조적이다.
 을교수는 직장 동료로서 앞으로 을교수는 보면 갑조교가 다른 사람들을 대하는 것과 같이 웃으면 인사하는 것이다. 외면이 이니라 포옹하는 것이다.
 거의 매일 대학본부 사무실에서 회의를 했던 것처럼 똑같이 회의를 하는 것이다. 갑조교처럼 행동을 얽매이는 것이 아니라 넓은 마음으로 갑조교의 직장내 생활을 보호해 주는 것이다.

을교수가 이 내용에 대해서 비밀에 붙이지 않는 것이다. 갑조교는 지난번에 비밀로 하라고 했다. 그때는 갑조교가 비밀로 하라고한 이유를 몰랐지만 지금은 이해가 간다. 갑조교는 사회 단체, 복지 단체, 여성 단체, 종교 단체 등과 관련이 있을 수 밖에 없는 위치와 직업을 가지고 있다. 그렇기 때문에 갑조교가 주장한 것이 얼마나 얼토당토 않한것인지 갑조교 스스로 알고 있었을 것이다. 그래서 비밀로 하라는 것이라고 생각한다. 을교수는 비밀로 하지 않을 것이다. 누군가 물어보면 있었던 일에 대해 사실대로 이야기 할 것이다.

판단은 들을 사람이 할 것이다. 대부분 을교수가 억울하다고 할 것이다.

- 혹시 이번에 억울하다고 하여 갑조교가 을교수의 요구사항을 받아들이지 않고, 갑조교가 지난번에 억울하다고 하여 지난번 일과 함께 진행시키면 을교수는 바라던 바이다.

지난번에는 그냥 내부적이었다. 그래서 그냥 을교수가 양보했다. 그러나 이제는 을교수도 더 이상 양보하지 않을 것이다.

첫째, 갑조교의 이상한 남성 관점에 대해서 을교수도 함께 맞고 소를 할 것이다. 어찌 보면 을교수를 이상하게 바라보는 갑조교의 눈빛을 을교수도 이상하고 기분나쁘게 느낀 것이다. 기분이 나쁘다는 것은 남녀 평등시대에 여성에게만 해당하는 것이 아니다. 갑조교가 사람을 얼마나 이상하게 보는지 당한 사람만이 안다. 갑조교가 이상하게 보는 것은 수시로 나타난다. 그리고 그것을 위원회까지 신고했다. 갑조교가 을교수에게 2차 가해를 하지 않았으면 좋겠다. 갑조교가 이상한 눈빛으로 본다는 것은 증거가 없다. 을교수에게 불리하다. 그러나, 갑조교가 이상하게 보고 클레임을 건 것은 이미 증거가 있다. 누가 옳은지 판가름하면 된다.

둘째, 갑질과 직장내 괴롭힘이다. 여자라는 우월한 지위를 이용해서 2023년 1년 간의 괴롭힘이다. 업무상 차질도 많았다. 이것도 증거가 있다. 갑조교의 주장이 맞아도 직장내 괴롭힘이 성립하고, 갑조교의 주장이 맞지 않으면 정말 큰 직장내 괴롭힘이 된다.

셋째, 정말 중요한 추가되는 사항이다.
추가사항 1 : 무고죄이다. 을교수가 인지하지도 못한 내용을 있었다고 하는 것이다. 있었다고 해도 상식적인 사회 통념적인 터치였다. 을교수는 스침도 있었는지 모르는데 을교수를 남자라는 이유로 갑조교가 몰아부친 것이다. 을교수는 없었다고 하니 갑조교는 증명해야 한다. 그렇지 않으면 무고죄를 물을 것이다.
추가사항 2 : 명예 훼손이다. 지난번 갑조교가 주장하는 클레임에서도 2가지 관점에서 을교수의 명예 훼손이 발생했다. 을교수는 내부적이어서 그냥 넘어갔다. 지지 부진한 법정 소송에 휘말리지 싫은 을교수의 교육지책이었다. 이제는 무고죄에 함께 명예 훼손도 함께 물을 것이다.

추가사항 3 : 을교수의 건강 관련 비용도 함께 물을 것이다. 공식적인 것은 나타나지 않을 수도 있으나 향 후 발생하는 건강이상에 관한 단서가 될 것이다.

추가사항 4 : 근무를 성실하게 하라는 것이다. 학교에 근무하면 사회적 통념상 최소한 수준의 근무는 해야 한다. 근무를 성실히 하는 것은 갑조교가 공부하는 대학원 수료에도 영향을 미치고, 공무원의 인사에도 영향을 미친다. 특히, 많은 사람이 보지 않는 방학에도 마찬가지이다. 갑조교는 수준 높은 도덕성을 요구하는 사람이기 때문에 당연한 것이다.

추가사항 5 : 대인 관계에 어려움이 있으면 정신적 치료를 받으라는 것이다. 주위에 그냥 멀쩡히 있는 사람을 이상하게 보는 대인관계를 가지고 있으면 본인을 위해서라도 타인을 위해서라도 정신적 치료를 받아야 한다.

위원회는 12월 22일 금요일 갑조교와 이야기 해보겠다고 했다. 그리고 크리스마스를 지나고 12월 26일 화요일 갑조교와 이야기한 결과를 을교수와 다시 이야기하겠다고 했다.

2023년 12워 22일 금요일

　오늘은 갑조교가 을교수의 클레임으로 위원회에 참가하는 날이다. 이제 지난번에 을교수가 느꼈던 감정을 느낄 것이다. 2023년 5월, 을교수는 무슨 영문인지도 모르고 회의실에 갔었다.

　오늘 갑조교도 마찬가지 일 것이다. '무슨 일로 갑조교를 회의실로 불렀을까?' 2가지 위원회가 갑조교 본인 때문에 열리는 것을 알면 깜짝 놀랄 것이다.

　회의실에서 위원회 위원들이 을교수를 바라보는 시선은 정말 만감이 교차한다. 갑조교도 위원들의 시선을 느낄 것이다. 갑조교는 자가당착이다. 그리고 갑조교는 무엇을 잘못했는지 생각하는 시간이 되었으면 좋겠다고 을교수는 생각했다.

　갑조교는 지난 석가탄신일이 있는 연휴에 을교수를 당혹하게 했다. 을교수는 정말 힘든 석가탄신일 연휴를 보냈다. 을교수가 크리스마스를 노리고 날을 잡은 것은 아니다. 2023년 12월 20일 수요일 전교직원 회식이 있는 날, 갑조교가 재무처에서 을교수가 보고 있는데 한 행동이 방아쇠가 되었다.
　그래서 아이러니하게도 12월 22일 금요일을 시작으로 갑조교는 크리스마스 연휴를 자신의 행동을 뒤돌아 보면서 을교수가 요구한 것을 생각하고 정리해야 한다.

예수님이 1년동안 마음 고생한 을교수에게 좋은 선물을 해주었다.

지난 이틀간의 다양한 생각을 한 어려움으로 을교수는 금융업무라고 하고 조퇴를 했다. 을교수는 조퇴를 하면서 갑조교는 어떤 결정을 할까 궁금했다.

2023년 12워 26일 화요일

　을교수는 다시 회의실에서 위원회를 만났다. 위원회 위원들에게 미안했다. 을교수가 미안해 할 것은 아니다. 원인은 갑조교이다. 을교수가 갑조교 때문에 마음 고생한 것을 생각하면 위원회 위원들도 충분히 이해해 줄 것이다.

　위원회에서는 갑조교가 을교수의 조건을 받아들이겠다고 했다. 그리고 내일, 2023년 12월 27일 수요일 갑조교가 을교수에게 을교수가 요구하는 사항을 서명하고, 사과하는 장소와 시간을 마련하겠다고 하고 위원회는 끝났다.

　갑조교는 대안이 없다. 자신이 을교수를 옥죄였던 것이 부메랑이 되어 갑조교 자신을 옥죄는 증거가 되었다. 그리고 을교수가 일지에 적었던 갑조교의 근무태도는 또다른 문제가 된다. 그래서 갑조교는 을교수의 제안을 수락할 수 밖에 없다. 자가 당착이다.

2023년 12워 27일   수요일

　　오늘은 을교수가 갑조교한데 당한 지난 1년의 어둠의 세월을 청산하는 날이다.
　　을교수가 잠자리에서 일어났는데 머리가 어지러웠다. 너무 많은 정신적 에너지를 사용한 결과인 것 같다.

　　을교수는 출근하지 못하고 병원으로 향했다. 오늘 갑조교에게 사과를 받아야 지난 1년의 시간이 억울하지 않다. 을교수는 억울해서 하루라도 빨리 사과를 받고 싶었다. 그래도 건강이 중요하다.

　　병원에서 요즘 스트레스가 많아 보인다고 병원에서 좀 쉬어서 스트레스를 낮추라고 했다. 을교수는 금요일까지 병가를 내었다. 빨리 일을 마무리 지어야 하는 위원회에 미안했다. 그리고 크리스마스 연휴에 마음 고생이 많았을 갑조교에게도 미안했다.
　　그러나, 을교수는 갑조교로 인해 얻은 스트레스로 인해서 병원행이다.

　　을교수의 입원으로 위원회는 2024년 1월 2일 화요일로 미루어졌다.

2024년 1월 2일 화요일

오늘 위원회가 열렸다. 을교수는 회의실에 갔다. 회의실에 위원회 위원들이 앉아 있었고 위원들과 함께 앉아있는 갑조교가 보였다. 갑조교는 많이 수척해져 있었다. 을교수는 마음 한편으로는 안타까웠다. 측은지심이다. 그러나 갑조교의 행실에 대한 인과응보이다.

회의실에서 갑조교는 을교수에게 사과했다. 그리고 서약서에 서명을 했다. 사과는 하지만 느낌이 약간 시큰둥 했다.(을교수는 뭔가 직감했는데, 알 수은 없었다.) 상담교수는 갑조교가 서약하는 모습을 지난번에 을교수가 했던 것과 같이 사진을 찍었다.

갑조교가 사과를 하고 서약서에 서명이 끝나자, 위원회는 을교수에게 할 말이 없냐고 물었다.

을교수는 갑조교에게 말했다. 갑조교는 여전히 시큰둥 했다. 갑조교가 다른 사람에게 했던 만큼만, 아니 반절만 을교수에게 했다면 이런 일은 없었을 것이다. 그리고 갑조교는 행동을 하기 전에 깊게 생각해라. 갑조교가 을교수에게 한 것은 생물학적 살인, 사회학적 살인, 공동체적 살인이다.
그리고 갑조교의 심리 상태와 대인에 대한 부적절한 거부감은 치료받아라. 직장이 호구지책이라서 어쩔 수 없지만, 선량한 선한 의지를 지닌 보통의 일반인에게 피해를 주는 것은 곤란하다. 사회에서 운전 면허를 함부로 아무에게나 주지 않는 것과 비슷하다. 최소한의 상식적, 사회 통념적 수준의 능력은 있어야 한다.

그리고 1년간의 마음 고생으로 인한 스트레스로 을교수에게 지병이 생기면 을교수는 피켓시위라도 할 것이라고 했다.

앞으로 서약서 내용을 잘 지키라고 했다. 특히 인사에 관한 부분은 인간 관계에서 기본이니 어려워하지 말고 서로 인사하자고 했다.

갑조교는 시큰둥 하면서 동의하면서 빨리 위원회를 마치고자 하는 표정이었다.

을교수와 갑조교의 일은 이렇게 마무리 되는 듯 했다. 갑조교가 조금은 수월하게 동의했다. 물론 갑조교는 다른 선택지가 없었다. 그래도 의아한 생각이 들었다. 을교수는 인간적 도리로 위원회 위원들을 생각하며 갑조교와 위원회 일을 마무리 했다.

그러나 대박 반전의 일이 2월에 발생했다.

갑조교는 이미 사표를 생각하고 있었다. 그래서 쉽게 마음편하게 서약서를 쓰고 동의를 한 것이다. 갑조교는 대학원을 졸업하게 되었다. 인간적으로 축하해줘야 할 일이다. 직장 생활을 하면서 방학에 조퇴를 하고 대학원을 다니는 것이 보통 힘든 일이 아니기 때문이다.

갑조교는 대학원의 졸업으로 인해 자격이 추가되었다. 그래서 다른 대학교의 전임 강사 자리를 구하게 되었다. 이제까지의 장학국 사무실의 조교가 아니다. 대학교의 전임 강사 자리는 대학교에서 근무하면 누구나 원하는 자리이다.

갑조교는 특유의 하이톤으로 사람들과 대하기 때문에 대학원 전임 강사의 자리를 구하는데에도 유리함이 있었을 것이다.

2024년 1월 2일 화요일

~ 갑조교 클레임에 대해

사람마다 감수성이 달라서 어떤 사안에 대해서 인지하는 수준이 다르다고는 하다. 그러나 감수성의 임계점은 보통적인 상식적인 선에서 허용된다. 갑조교와 같이 임계점의 수준이 현저히 낮은 수준이면서 피해의식이 크면 사회 생활을 하기 힘들거나, 다른 보통의 상식적인 사람에게 피해를 준다. 그냥 집에 있어야 한다.

선의의 어떤 사람에게 피해주지 않기위해서이다.

우리가 정신이 이상한 사람에게 운전 면허를 허용하지 않는 것과 마찬가지 이다. 최소한의 인지적 허용 기준이 있는 것이다.

그러나 2023년 갑조교가 을교수에게 한 만행을 살펴보면, 갑조교는 사회생활을 그만해야한다.

상식적이지 않은 내용, 최소한의 보편적인 사회적 수준의 것을 여자라는 이유로 나약한 척 하며 갑질한 것이다. 악용한 것이다.

갑조교의 감수성이 달라서 그렇다면 다행이다. 갑조교는 다른 한편으로 체계적이고 악랄하다고 할 수 있다. 그래서 스침을 터치로 의도적의로 악의를 가지도 워딩해서 을교수를 힘들게 한 것이다.

주변에게는 피해자인척 코스프레한다.

그렇지만, 보통의 선한 사람은 스침을 터치로 악의적의로 워딩하여 신고하지 않는다. 안타깝지만 갑조교는 감수성의 문제는 아닌 것 같다. 본성을 심도 깊게 생각해야한다.

그리고 갑조교는 착한 척 했던 것 같은 생각이 든다. 을교수를 고발하지 않고 그 선에서 마치는 듯한 코스프레를 한 것이다. 그러나 그것마저 큰 틀에서 계획하고 착한 척 한 것 같다.

갑조교는 사회단체, 봉사단체, 복지단체, 인권단체, 여성단체, 종교단체 등 어딘가에 접점이 있을 수 밖에 없다. 갑조교의 업무 특성이 그렇다. 그래서 을교수를 옥죄이는 방법을 잘 알고 있다. 그리고 갑조교 자신이 주장하는 것이 터무니 없는 것을 이미 알고 있다. 그래서 을교수에게 관용을 베푸는 것처럼 하고 발을 빼는 출구 전략도 잘 알고 있다고 생각한다.

일반적으로 생각하면 좋은 성격의 소유자인것처럼 보인다. 포장을 잘 한 것이다. 을교수가 1년을 살펴본 결과 갑조교는 절대 그런 사람이 아니다. 잦은 젖은 머리 출근(개인적으로 바쁜 것을 핑계로 할 수 있으나 다른 사람들은 그렇지 않다. 사회적 통념을 많이 벗어나게 자주 있다. 한국윤리사관대학교에서 갑조교는 수업을 담당하지 않는 워라벨이 낮은 편한 직종이다), 교직원 휴게실에 차 씨꺼기 버리기, 그리고 더 큰 문제는 자기 편한 입맛대로의 복무이다. 복무를 하는 것을 보면 갑조교가 얼마나 자기 멋대로인지 알 수 있다.

을교수가 클레임이 끝나고 방학이 시작한 1월에도 갑조교의 근무는 엉망이다. 대학원 수업 참여가 그렇다. 출근 시간도 엉망이다.

갑조교는 을교수에게 사회적 통념으로 상식적으로도 적당하지 않은 수준 높은 도덕성을 요구했다. 갑조교도 거기에 맞게 행동해야 한다. 내로남불의 사고는 곤란하다.

갑조교가 자기 멋대로 행동하는 것들은 봐줄 수 있다. 그러나 자신의 입맛에 맞지 않다고 수가 틀리다고 다른 사람을 난처하게 하는 것은 갑조교의 본성에 대해서 단면적으로 보여주는 것이다.

갑조교는 이미 자신이 하고 싶은 것은 다 한 것이다. 그래서 그 책임을 져야한다.

을교수는 을교수의 건강에 이상이 생기면, 갑조교의 본명과 직장을 공개할 것이며, 갑조교의 직장 앞에서 피켓을 들고 시위를 시작할 것이다. 그리고 참아왔던 소송을 시작할 것이다.

갑조교는 복지단체, 사회단체, 봉사단체, 여성단체, 종교단체 등 어느 곳과 직간접적으로 관계가 있을 것이다. 관계가 없다면 그 자체로 거짓말이다. 갑조교가 하는 일이 그런 일과 관계가 깊다. 그래서 남자를 체계적으로 잘 엮는 방법을 잘 알고 있을 것이다. 그래서 을교수를 엮은 것 같다. 그러나 을교수를 엮었지만, 법정에 서면 갑조교는 내세울 것이 없다. 어쩌면 갑조교 자신이 더 잘 알고 있을 것이다. 그래서 적당한 선에서 선을 긋고 빠져나온 것 같다.

거기에 가장 큰 피해자가 을교수이고, 위원회에 참석한 부총장, 상담교수, 의무교수이다. 또 을교수와 친하게 지냈던 사람들이 피해자이다. 을교수가 표현하지 않으려고 노력했지만, 힘들어함을 직접적으로 간접적으로 직감적으로 느꼈을 것이기 때문이다.

갑조교 주변에서 갑조교의 본성을 모르게 생활하는 사람들도 피해자이다. 언제 갑조교에게 당할지 모른다.

을교수는 이미 이동에 관한 인사서류를 제출했지만 갑조교의 갑질이 더 심해지면, 법정에 서는 일만 남았다. 그래서 지금까지 모아온 자료를 토대로 진실 싸움을 하는 수 밖에 없다.

첫 번째가 젖은 머리로 출근하는 것이다.

두 번째가 수시로 사무실을 이탈하여 회의라는 면목으로 대학본부 사무실에 상주하는 것이다.

세 번째는 복무 관련 불성실이다. 이미 자료는 백업해두었다.

가장 중요한 것은 과연 당연 을교수의 무죄사항이다. 이것으로 인해 갑조교에 대한 무고죄, 명예훼손, 건강에 대한 피해 능을 시작할 것이다. 아마 을교수를 악의적으로 엮은 갑조교가 가장 떨어야할 부분일 것이다. 그리고 갑조교 자신이 가장 잘 알고 있을 것이다.

갑조교 자신이 엮은 것이 사회적 상식적인 수준에서 통념적으로 터무니 없었다는 것을 이미 많은 사례를 접해서 알고 있을 것이기 때문이다.

2024년 2월의 일 : 대박 반전

갑조교는 특유의 가식적인 친화력과 가식적인 목소리와 가식적인 웃음 등으로 나름 인기가 있다. 그래서 다른 대학교의 전임 강사 자리를 얻게 되었다. 다들 축하해 주었다. 조금 더 좋은 환경에서 일하라고 총장과 부총장도 축하해 주었다. 그리고 기쁜 마음으로 사표를 수리했다.

한국세계윤리사관대학교에는 이탈리아 로마 바티칸에서 새로운 장학국 조교가 배정되었다.

2월에 발생한 대박 반전 사건이 갑조교의 전임 강사로 가는 것이라고 생각할 수 있다. 그러나 여기에는 나름 스토리가 있다.

나중에 알려졌는데, 갑조교가 가고자 했던 대학교의 전임 강사 자리는 이미 내정이 되어 있었다. 갑조교와 함께 친하게 지내면서 대학원에서 공부하고 갑조교와 함께 대학원을 졸업한 친한 설문지를 부탁한 친구가 가기로 한 자리였다. 그것을 갑조교가 특유의 가식적인 친화력과 가식적인 목소리와 가식적인 웃음 등으로 차지한 것이다.

갑조교의 친구는 갑조교에 대해서 잘 알고 있었다. 특히 방학 중에 갑조교가 대학원을 어떻게 다닌지 알고 잘 알고 있었다.

그 친구은 교육청에 민원을 제기했다. 첫 번째는 한국세계윤리사관대학교이다. 갑조교가 대학원 수학을 위해 조퇴를 낸 시간은 물리적으로 대학원 수업에 지각하지 않고는 할 수 없는 시간이다. 아울러 친하게 지냈기에 갑조교가 한국세계윤리사관대학교에서 방학 때 근무를 하지 않고 출근한 것처럼 한 것도 알고 있었다.

갑조교의 친구는 방학 때 함께 차를 마시며 수업을 기다리다 수업에 참여했다. 이런 차를 마시는 관계이기 때문에 다른 대학교의 전임 강사 자리를 함께 이야기 했다.

교육청에서 한국세계윤리사관대학교에 감사가 나왔다. 갑조교의 근무 형태를 살폈다. 역시 갑조교의 근무 태도는 지적 사항이 되었다.

감사팀은 카메라를 키고 갑조교와 이야기 했다. 갑조교와 같은 부류의 사람은 다른 사람을 물고 늘어지는 것이 본능이다. 갑조교는 대학본부 사무실에서 근무한 부총장의 배려가 있었다고 이야기하며 대학본부 사무실 조교도 함께 그랬다고 이야기 해 버렸다..

아뿔사! 이번에 감사를 위해 나온 사람은 총장과 대척점에 있는 사람이다. 총장을 엮기 위해 부총장과 대학본부 사무실 조교를 함께 징계로 엮기로 했다. 총장을 엮기 위해서 일부러 부총장과 대학본부 사무실 조교를 더 조인 것이다. 선의를 배푼 총장과 부총장과 대학본부 사무실 조교는 징계를 받을 어려운 처지에 놓이게 되었다.

이때 을교수가 혜성처럼 등장했다. 을교수가 과거에 연이 있었던 사람이 감사를 위해 나온 것이다. 감사를 위해 나온 사람이 버스 사고로 인해 어려움에 처한 때가 있었다. 그날은 교육청 채용을 위해 마지막 단계인 면접을 보러 가는 도중이었다. 그때 그 옆을 지나던 을교수가 면접 시험장까지 태워주었다. 그래서 면접 시험장에 시간에 맞추어 도착하여 무사히 면접을 마시고 합격하게 된 것이다. 그리고 감사팀에 들어간 것이다.

을교수는 총장, 부총장, 대학원 사무실 조교는 평소에도 직원들을 위해서 열심히 생활하는 사람들이다. 갑조교와 같은 사람과 얽혀서 징계를 받는 것은 너무 억울한 일이라고 변호했다.

다행히, 감사팀은 민원의 대상인 갑조교만 징계하기로 했다. 을교수의 평소 생활이 주위에 도움을 주는 것이다.

을교수의 도움으로 총장과 부총장과 대학원 사무실 조교는 징계는 받지 않고 사유서만 쓰고 일이 해결되었다. 총장과 부총장과 대학본부 사무실 조교는 을교수에게 고맙다고 했다.

갑조교의 친구는 갑조교를 교육청 뿐만이 아니라 갑조교와 함께 졸업한 대학원에 민원을 제기했다. 절대 함께 할 수 없는 물리적 시간이 있음에도 불구하고 갑조교를 출석으로 처리하여 갑조교가 학위를 받게 한 것이다.

갑조교에게 민원을 제기한 마지막 것은 정말 큰 건이다.

그 내용은 갑조교가 대학원 졸업을 위한 수업일수 부족이다. 이건 정말 큰 건이다.

갑조교의 친구는 교육청에 갑조교와 힘께 졸업한 대학원을 추가로 민원을 제기했다.

갑조교가 대학원 수업을 받던 중에 친구들과 해외 여행을 간 일이 있었다. 대학원 교수에게는 일이 있어서 대학원 수업을 참여하지 못하니 대학원 수업을 리포트로 대체하기로 한 것이다. 약간의 융통성은 학부가 아닌 대학원 수업에서는 의례 있는 일이다. 갑조교는 특유의 가식적인 친화력과 가식적인 목소리와 가식적인 웃음 등으로 교수에게 충분이 어필했다. 그리고 교수에게 허락을 받았다. 그리고 친구들과 함께 즐겁게 해외 여행을 다녀 다녀왔다.

갑조교의 친구는 그때 갑조교에게 해외 여행은 수업일수 부족으로 위험하다고 충고해줬다. 그런데 갑조교는 본인이 교수에게 힘들게 잘 말해서 허락을 받았는데 해외 여행을 가는 갑조교가 부러워서 괜히 딴지를 건다고 신경질 적으로 대꾸했다. 참 이중적인 모습이다. 좋은 친구의 정말 좋은 충고였는데 갑조교가 신경질 적으로 무시한 것이다.

대학원 수강을 위한 물리적인 시간 부족에 비해 해외 여행과 관련한 출석일수 부족이 문제인 이번 건은 명백했다. 증명하는데 많은 시간과 노력도 필요하지 않았다. 출입국 관리기록에 갑조교의 출입국 날짜가 명확하게 있었다. 갑조교는 대학원 수업 일수를 채우지 못했다.

갑조교의 대학원 졸업은 바로 취소되었다. 취득했던 학위도 취소되었다. 친한 친구가 가기로 했던, 갑조교가 낚아 챘던 대학교 전임 강사 자리도 함께 취소되었다.

그 친구는 다행스럽게 처음에 계획했던 대로 원하던 대학교의 전임 강사 자리로 가게 되었다. 선한 사람에게 좋은 결과가 있는 것은 당연해야 한다.

갑조교가 다니던 대학원의 교수들은 갑조교의 수업 일수에 관련해서, 갑조교의 대학원 졸업에 관련해서, 갑조교의 대학원 학위 취득에 관련해서 징계를 피할 수 없게 되었다.

갑조교는 졸업과 학위가 취소되었기 때문에 다시 추가로 학기를 추가하여 대학원을 다녀야 한다. 그리고 이미 사표가 수리된 한국세계윤리사관대학교 장학국 사무실 조교 자리도 돌아올 수 없게 되었다. 한국서계윤리사관대학교 총장과 부총장에게 사표 수리를 취소해달라고 울면서 했다. 세상은 운다고 호락호락하지 잃는다. 갑조교는 세상을 너무 쉽게 생각한다. 어처구니 없는 일이다. 갑조교는 세상을 너무 쉽게 보고 자기 편한대로 생각한다.

갑조교의 한국세계윤리사관대학교의 사표 수리, 이것은 이미 되돌릴 수 없다. 다른 사람이 갑조교의 장학국 사무실 조교 자리에 들어왔다. 그리고 총장과 부총장은 갑조교의 가식적인 모습을 알기에 더 상대하기도 싫었다. 특히 총장과 부총장과 대학본부 사무실 조교는 을교수가 아니면 징계를 당할 뻔 했다.

갑조교를 바라보는 을교수의 시선은 만감이 교차했다. 그냥 선한 의지로 갑조교를 배려해줬는데, 뜻하지 않은 곳에서 갑조교에게 하늘에서 벌을 내린 것이다.

사실 뜻하지 않은 것이 아니다. 갑조교의 생활은 인생 구석 구석에서 이중적으로 나타난다. 습관화 된 것이다. 이번이 결정적인 것이 된 것이다.

평소에 이중적으로 행동하지 않아서 습관화 되지 않았다면 이런 일은 없었을 것이다.

이 이야기의 끝이 갑조교가 한국세계윤리사관대학교를 떠나는 것으로 끝날지는 을교수도 생각하지 못했다.

아울러 이 소설의 모든 내용은 작가의 상상에 의해 만들어진 허구임을 밝힌다.

<개정판을 준비하며>

'한국세계윤리사관대학교 갑을 이야기'는 글을 쓰는 단계에서부터 개정판을 준비하고 있다.

개정판이 나온다는 것은 갑조교와 을교수 사이에 법정 소송전이 들어갔다는 것을 의미한다. 이제까지 참았던 을교수가 소송을 시작한 것은 아닐 것이다. 갑조교가 자기 분을 참지 못하고, 자기 하고 싶은대로, 자기 성격대로 소송을 한 것으로 추정된다.

을교수도 차분히 소송에 준비할 것이다.

이제는 진흙탕 싸움이 될 것이다. 그러나, 을교수가 얼마나 참았으며, 얼마나 힘들게 2023년을 보낸지 설명하며 결백을 주장할 것이다.

또한, 법에 저촉되지 않는 범위에서 구체적인 지역, 학교, 지위 등을 밝혀서, 을교수와 같은 피해가 없도록 할 것이다.

<부록>

독자들이 다양한 경우의 생각(공평하게 큰 흐름을 가지고)할 수 있는 질문을 만들어 봤습니다.

생각만 하지 않고 판단도 해보면 좋겠습니다.
판단을 해야 하는 경우가 되면 생각이 더 깊어집니다.
각자 직접 인물이 되어 감정 이입을 하는 것도 좋은 방법입니다.

갑조교 본인 이라면
을교수 본인 이라면

갑조교 지인 이라면 : 그냥 별 생각없는 지인
갑조교 지인 이라면 : 생각이 깊은 지인
        : 애인 이라면
        : 남편 이라면
        : 가족 이라면 (부모, 자식, 형제, 사촌 등)
        : 남편 가족이라면
        : 남편 친인척이라면
        : 변호사 라면

갑조교 본인 이라면
을교수 본인 이라면

을교수 지인 이라면 : 그냥 별 생각없는 지인
을교수 지인 이라면 : 생각이 깊은 지인
    : 애인 이라면
    : 부인 이라면
    : 가족 이라면 (부모, 자식, 형제, 사촌 등)
    : 부인 가족이라면
    : 부인 친인척이라면
    : 변호사 라면

한국세계윤리사관대학교의 갑을 이야기

발 행 | 2024년 2월 13일
저 자 | 李謁智(이알지 : ERG)
펴낸이 | 한건희
펴낸곳 | 주식회사 부크크
출판사등록 | 2014.07.15.(제2014-16호)
주 소 | 서울특별시 금천구 가산디지털1로 119 SK트윈타워 A동 305호
전 화 | 1670-8316
이메일 | info@bookk.co.kr

ISBN | 979-11-410-7125-7

www.bookk.co.kr
ⓒ 李謁智(이알지 : ERG) 2024